LA ROUTE DES VINS

BORDEAUX

LA ROUTE DES VINS
BORDEAUX

HUBRECHT DUIJKER

COLLECTION DIRIGÉE PAR HUGH JOHNSON

Flammarion

Sommaire

Titre de l'ouvrage original :
Touring in Wine Country, Bordeaux
Publié par Mitchell Beazley, Londres.
© 1996 Reed International Books
© 1996 Hubrecht Duijker pour le texte
© 1996 Reed International Books pour
les cartes
© 1997 Flammarion pour l'édition
française

**Traduit de l'anglais par
Anne Dechanet**

Adaptation typographique :
Thierry Renard
Suivi éditorial : Françoise Botkine
Imprimé à Hong Kong

ISBN : 2-08-200626-3
Numéro d'édition : 1248
Dépot légal : mars 1997

Note de l'éditeur : *Compte tenu
de la nouvelle numérotation à 10 chiffres,
tous les téléphones et fax devront être
précédés de 05.*

Avant-propos

Pourquoi un vin dégusté sur place, dans la cave, voire la région où il est né, a-t-il une magie, une intensité, une vigueur qui le rendent inoubliable ?

Des explications concrètes sont immédiatement proposées. Le long voyage jusqu'aux rayons du supermarché ne peut rester sans conséquence pour un organisme vivant – et le vin est bien quelque chose de vivant, donc de fragile.

On avance aussi des considérations plus romantiques : le pouvoir évocateur de l'atmosphère et des senteurs du chai, associé à l'enthousiasme du viticulteur allant d'un fût à l'autre...

Il n'est donc pas étonnant que beaucoup d'amateurs choisissent d'emprunter la route des vins pour leurs vacances. C'est incontestablement le meilleur moyen de comprendre le vin, que l'on se contente d'admirer le paysage de vignobles dont il est l'émanation, ou que l'on cherche à saisir en profondeur toutes les subtilités des terroirs et la philosophie qui anime les différents producteurs.

Il y a des livres sur le vin qu'on lit dans son fauteuil, les beaux livres qu'on expose sur la table du salon, les ouvrages de référence à consulter rapidement... et même un livre-objet. Avec cette collection, nous avons voulu offrir au voyageur œnophile, désireux d'aller enquêter sur le terrain, des guides pratiques et très précis, qui lui permettent de découvrir tous les trésors que recèlent les régions vinicoles. Il pourra y trouver ses vins de prédilection, se créer de merveilleux souvenirs, et quel plaisir n'éprouvera-t-il pas en dégustant une bouteille qu'il a lui-même dénichée au détour d'un chemin.

Hugh Johnson

Un premier aperçu

L a ville de Bordeaux, considérée, à juste titre, comme la cité vinicole la plus prestigieuse du monde, a donné son nom à un vin, à des techniques particulières de viticulture et de vinification et à une région, le Bordelais. Elle a toujours privilégié la qualité, comme elle en apporta la preuve dès 1855, avec la première classification officielle des grands crus classés du Médoc et de Sauternes. Les barriques – ces fûts de 225 litres dans lesquels on fait vieillir le vin –, sont également originaires de la capitale de l'Aquitaine. Bordeaux s'est dotée d'une réputation mondiale dans tous les domaines de la recherche vinicole, et cela grâce aux travaux de sa faculté d'œnologie. Les cépages du Bordelais sont utilisés dans le monde entier pour améliorer la qualité des vins locaux. Enfin, c'est à Bordeaux que le terme de « château » a pris une signification honorifique.

Sixième complexe portuaire français, Bordeaux, préfecture de la Gironde, se dresse en bordure de la Garonne, qui rejoint la Dordogne au bec d'Ambès, au nord de la ville. De cette confluence, naît l'estuaire de la Gironde, qui se jette ensuite dans l'Atlantique, entre Le Verdon, à l'extrémité septentrionale du Médoc et la ville de Royan. Les régions viticoles du Médoc, de Blaye et de Bourg s'étendent de chaque côté de cette large voie navigable.

La présence de ces fleuves et rivières est essentielle pour la viticulture, car l'eau sert à réguler la température de l'air dans les vignobles. Autrefois, ils étaient aussi utilisés comme moyen de transport – les cours d'eau avec leur accès à l'océan, favorisèrent diversement le commerce du vin dans la région. L'influence de marées de l'Atlantique est sensible au-delà de Bordeaux et de Libourne.

Ci-contre : *L'entrée imposante du château Beychevelle, dans la commune de Saint-Julien. Ce quatrième cru classé est exporté dans le monde entier.*

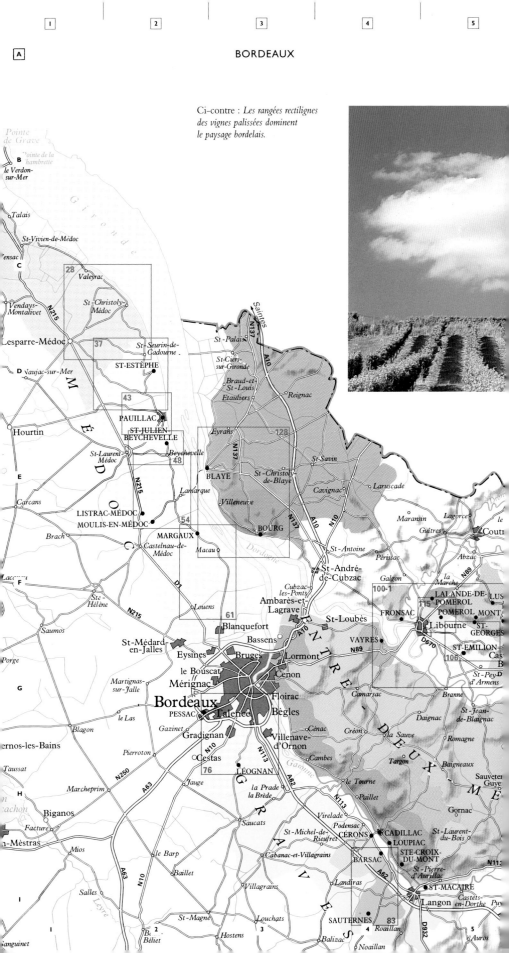

Ci-contre : *Les rangées rectilignes des vignes palissées dominent le paysage bordelais.*

LE CLIMAT

On prétend que Bordeaux possède le meilleur climat de France. L'influence des saisons s'y fait sentir, mais avec douceur : la température moyenne est de 7,5 °C, en hiver, et de 18 °C en été. Il faut souligner aussi la rareté des gelées, même si, lorsqu'elles se produisent, elles sont redoutables pour les vignes : en avril 1991, la température chuta à -11 °C pendant la nuit. Les vignobles furent en majorité sinistrés, à l'exception de ceux en bordure de la Gironde, moins touchés grâce à l'influence de l'estuaire.

Un ensoleillement moyen de 2 010 heures par an favorise un temps sec, chaud, idéal pour le mûrissement des grappes. Les étés indiens sont également favorables au bel épanouissement du raisin. On dit à Bordeaux que « bel automne vient plus souvent que beau printemps », et s'il est vrai que le printemps est souvent frais et humide, l'arrière-saison est généralement ensoleillée. Ces avantages climatiques expliquent en partie le caractère exceptionnel du Bordelais viticole.

À VOIR

Le Bordelais ne manquera pas de séduire ses visiteurs. Comment ne pas tomber sous le charme de la ville et des propriétés vinicoles, mais aussi de la bande côtière qui longe l'Atlantique ? Des dizaines de kilomètres de plages sablonneuses s'étendent en bordure de la côte émaillée de stations balnéaires et de ports, tandis qu'en retrait de l'océan, lacs romantiques, forêts de conifères (celle des Landes est la plus vaste d'Europe) attendent que vous veniez les découvrir.

Bordeaux

— · — · —	Limite du département		Bourgeais
———	Limite de l'appellation bordeaux		Premières côtes de Bordeaux
☐	Haut-Médoc/Saint-Émilion		Graves de Vayres
☐	Médoc/Pomerol		Sainte-Foy-Bordeaux/Côtes de Bordeaux-Saint-Macaire
☐	Canon-Fronsac/Saint-Émilion		Graves
☐	Fronsac/Bordeaux et Entre-Deux-Mers-Haut Benauge		Cérons
☐	Côtes de Castillon		Sauternes et Barsac
☐	Lalande-de-Pomerol/Côtes de Francs		Loupiac
☐	Blayais		Sainte-Croix-du-Mont/Entre-Deux-Mers
☐	Pessac-Léognan	BOURG ●	Principale commune vinicole
		28	Zone représentée à une plus grande échelle à la page indiquée

1:570,000

Km. 0   5   10   15   20   25 Km.

Miles 0   5   10   15 Miles

lisottes-aures
ʰristophe-Double

STE-FOY-LA-GRANDE   D936
-et-tin   Gensac   Eynesse   St-André-et-Appelles
St-Quentin-de-Caplong   Margueron
Pellegrue
Cazaugitat   Côtes de Duras
Dieulivol
Monségur
Roquebrune
St-Vivien-de-Monségur
ole

gen

Lacanau est l'une des stations balnéaires les plus réputées de la côte Atlantique, avec son école de golf et ses compétitions de planche à voile. Les autres sont celles de Soulac, Montivet, Hourtain et Maubuisson, toutes nichées au milieu de forêts de conifères qui semblent s'étendre à l'infini. Aucune de ces zones boisées ne fut plantée avant le XIXᵉ siècle. Auparavant, les Landes représentaient une zone marécageuse, presque totalement inaccessible, et ses habitants utilisaient des échasses pour se déplacer pendant l'hiver. Toutes les lignes de chemin de fer construites après la Première Guerre mondiale pour transporter les troncs d'arbres ont été, depuis, transformées en pistes cyclables de plusieurs centaines de kilomètres.

Le bassin d'Arcachon attire également les visiteurs. Il abrite une importante réserve naturelle et quantité de parcs à huîtres. Il ressemble à un lac, mais en réalité ouvre sur l'océan. Les hauts lieux touristiques sont bien sûr Arcachon, où les viticulteurs importants possèdent souvent un appartement en bordure du bassin à Gujan-Mestras, au Cap Ferret et à Andernos.

En haut : *Vignobles du château d'Yquem.* Ci-dessus : *Récolte aux châteaux Cos d'Estournel et Lafite (ci-contre).*

À Arcachon, station balnéaire très agréable, l'empreinte du passé est telle que l'on se croirait revenu au début du siècle dernier. Des jetées, partent de nombreuses régates de voiliers et des excursions en bateaux organisées sur le bassin. Au sud, se dresse le Pilat, une immense dune de sable blanc, la plus élevée d'Europe (117 mètres de haut). En l'escaladant, on a l'impression de traverser le Sahara mais, arrivé au sommet, elle offre un panorama spectaculaire sur l'océan Atlantique et la forêt de la Teste.

On peut se rendre à Arcachon par l'autoroute qui relie Bordeaux à Bayonne, ou par la N250, qui quitte la ceinture à Pessac. La première solution est plus rapide, mais en empruntant la N250, vous passerez par Gujan-Mestras et le Teich –, où vous pourrez notamment visiter une réserve ornithologique. Si tous les petits ports égrenés autour du bassin possèdent des cabanes où l'on vend des huîtres, la palme en revient à Gujan-Mestras qui compte de surcroît d'excellents restaurants de poisson et organise une foire aux huîtres, avec dégustation gratuite des produits locaux et visite du musée de l'Ostréiculture.

La région est un paradis pour les passionnés de golf. Les alentours de Bordeaux comprennent une dizaine de parcours, ouverts à tous. Pour les randonneurs, on ne compte plus les sentiers qui sillonnent les forêts de pins et bordent les plages. Quant à ceux qui aiment les châteaux, les domaines et les abbayes, ils apprécieront tout particulièrement l'Entre-Deux-Mers. Et pour les œnophiles, enfin, ce ne sont pas les propriétés viticoles qui manquent. Des attractions dont on peut profiter dans un rayon de 50 à 80 kilomètres autour de Bordeaux.

LES ROUTES DES VINS

La D2 est la route la plus empruntée pour visiter les célèbres châteaux du Médoc. Elle part de la périphérie de Bordeaux (quittez

le périphérique à la bifurcation pour Le Verdon, puis tournez à droite en direction de Pauillac). La route serpente à travers le Médoc jusqu'à Saint-Vivien et, en chemin, passe devant de nombreux châteaux réputés (des grands crus classés), dont la plupart sont décrits dans cet ouvrage. Un autre itinéraire recommandé est celui qui part de Bordeaux *via* la rive droite de la Garonne, par les Premières côtes de Bordeaux : Bordeaux, Latresne, Camblanes, Quinsac, Cambes, Baurech, Tabanac, Le Tourne, Langoiran, Haux, Saint-Caprais, Cenac et retour à Bordeaux. Ce trajet de quelque 55 kilomètres vous permettra de découvrir l'une des plus belles régions du Bordelais.

Dans le Sauternais, une autre aire d'appellation, la signalisation est excellente, et vous pourrez vous y rendre en moins d'une heure depuis Bordeaux. C'est une région célèbre pour ses remarquables propriétés. Pour les itinéraires relatifs à Saint-Émilion, aux Graves et à l'Entre-Deux-Mers, consultez les chapitres qui leur sont consacrés.

LA VITICULTURE

Avec quelque 115 000 hectares, la région viticole bordelaise couvre cinq fois la surface de la Bourgogne et équivaut à celle des vignobles d'Allemagne ou d'Afrique du Sud. Au milieu du XIXe siècle, pourtant, sa superficie était plus importante encore, mais c'était sans compter avec le phylloxéra et le développement des villes et des villages. Quoi qu'il en soit, le vin joue un rôle à tel point décisif que la région abrite encore aujourd'hui 110 000 hectares de vignobles d'appellation contrôlée.

Quelque 13 000 viticulteurs sont installés dans le Bordelais dont plus de 5 000 coopérateurs. La région a développé 400 industries vinicoles et un Girondin sur six travaille dans un secteur en relation avec le vin. La superficie moyenne des vignobles de châteaux est de 5 hectares – la plupart n'atteignent pas la moitié et peu dépassent 20 hectares –, dont 75 % élaborent du vin rouge, 25 % du vin blanc. Il existe 53 appellations contrôlées, qui englobent les vins rouge, blanc, sec et liquoreux, rosé, clairet et crémant.

LES CLASSIFICATIONS

La plupart des châteaux du Médoc firent leur apparition au XIXe siècle, de même que la première classification des vins

En haut : *Le cépage cabernet-sauvignon donne un vin qui a du corps, tannique, aux saveurs de mûre et de cèdre.*
Ci-contre : *Mieux adapté aux sols plus lourds et argileux, le cépage merlot produit des raisins à peau plus fine que ceux du cabernet-sauvignon.*
Ci-dessus : *Grappe de raisin sur une vigne sémillon couverte de « pourriture noble » qui déshydrate le grain et favorise la concentration en sucre.*

bordelais (1855). Les courtiers de Bordeaux furent chargés d'établir une hiérarchie officielle des châteaux reconnus comme grands crus classés. Les crus du Médoc furent ainsi subdivisés en 3 premiers crus, 15 deuxièmes crus, 14 troisièmes crus, 10 quatrièmes crus et 18 cinquièmes crus. Ces catégories sont toujours utilisées, tout comme celle de cru bourgeois, pour les vins de qualité inférieure. Les sauternes regroupent un premier cru supérieur (château d'Yquem), 11 premiers crus et 15 deuxièmes crus. Après la Seconde Guerre mondiale, on incorpora deux autres classifications : celles des graves, avec 15 crus classés, et des saint-émilions avec 63 grands crus classés et 13 premiers grands crus classés.

LES CÉPAGES

À la différence des vins d'autres régions, comme ceux d'Alsace ou de Bourgogne, les vins bordelais sont issus d'au moins trois cépages dont le choix déterminera le style de vin obtenu par chaque exploitation. Ce mode d'encépagement explique l'extraordinaire diversité des vins bordelais.

Les variétés de cépages utilisés ne se sont pratiquement pas modifiées depuis le Moyen Âge. Pour les vins rouges, ce sont le merlot, le cabernet-sauvignon, le cabernet-franc, le malbec et le petit verdot. Pour les blancs, le sauvignon blanc, le sémillon, la muscadelle, le colombard et l'ugni blanc. Les différences sont déterminantes. Le cabernet-sauvignon, notamment, est un raisin qui arrive à maturité plus tardivement que le merlot, et qui peut ainsi profiter de l'ensoleillement d'octobre. Pour résumer, on peut dire que le merlot apporte plus de souplesse au vin, tandis que le cabernet lui donne plus de corps et de tanin. Il faut savoir, par exemple, que le cabernet domine dans le Médoc, tandis que les saint-émilion et pomerol sont issus pour l'essentiel du merlot. Le malbec et le petit verdot ont tendance à disparaître, mais grâce à certains œnologues avisés, ils devraient susciter un regain d'intérêt. Leur proportion toutefois dépasse rarement les 2 ou 3 % dans l'encépagement, exception faite des côtes de Bourg et de Blaye, avec jusqu'à 30 % de malbec.

La différence entre les cépages blancs de sauvignon et de sémillon est plus marquée qu'avec le cabernet et le merlot. Le sauvignon donne des vins frais, aux arômes mordants, aux saveurs nerveuses ; le sémillon développe un vin plus rond, plus souple, plus intense. Les vins liquoreux sont issus d'un mélange de ces deux cépages.

LE SOL

Un climat doux et des cépages de qualité seraient de peu d'effet sans un terroir favorable. Des sols d'une grande diversité géologique composent la Gironde, d'où les nuances de caractère entre chaque cru, l'identité propre de chaque vignoble. Pendant la période glaciaire, des alluvions rocailleuses furent arrachées aux Pyrénées, au Massif central et aux autres plateaux montagneux par les cours d'eau. À certains endroits, les nappes rocailleuses furent plus denses, d'où la formation de croupes au

sol très graveleux, offrant un excellent système de drainage et permettant aux racines de la vigne de pénétrer profondément dans le sous-sol. Une formation géologique qui caractérise largement le Médoc, avec ses nombreuses collines graveleuses.

D'autres vignobles du Bordelais possèdent des terroirs différents, mais tout aussi favorables à la viticulture, avec des sols argilo-calcaires, sablonneux, comme le prouvent les pentes calcaires de Saint-Émilion et le plateau argileux de Pomerol.

LE FACTEUR HUMAIN

Sans les hommes enfin, il ne serait pas possible de produire du bon vin. Le rôle du viticulteur est primordial dans l'obtention de crus de qualité. Le vigneron est occupé toute l'année tant par ses vignes que par son vin, dans ses vignobles ou dans ses chais. C'est lui qui détermine le style d'un vin en décidant, entre autres, de la date des vendanges, du choix des cépages, de la méthode de fermentation et du traitement du vin.

LA GASTRONOMIE

Indissociable de la gastronomie, le vin est fait pour accompagner les plats et en rehausser la saveur. Dans le Bordelais, vient s'ajouter la présence des multiples châteaux : être invité à s'y restaurer est un honneur et une fête.

Au centre et ci-dessus, à droite :
*Le Bordelais est renommé pour ses fruits
de mer qu'accompagne à merveille
un vin de l'Entre-Deux-Mers.*

Ci-dessus à gauche et en bas :
*Les magasins d'alimentation offrent
des produits excellents, du pain
à la charcuterie.*

S'il est vrai que les propriétaires n'habitent pas toujours leurs châteaux, ils aiment y recevoir leurs hôtes. Il n'y a pas si longtemps, il suffisait de prendre rendez-vous pour une dégustation pour être invité à déjeuner. Mais hélas, ces temps heureux sont révolus. La cuisine régionale est généreuse : foie gras de canard, côtelettes d'agneau grillées, fromages et desserts composent généralement le menu. Ces mets succulents permettent d'apprécier pleinement des crus de millésimes différents.

La gastronomie bordelaise offre une belle variété, qu'il s'agisse de l'agneau de Pauillac ; des huîtres du bassin d'Arcachon (souvent dégustées avec une petite saucisse pimentée) ; du canard et de ses spécialités, en provenance de la province voisine du Gers ; des asperges de Blaye ; du bœuf (blonde d'Aquitaine) de Bazas ; des poissons, des crustacés et des fruits de mer de l'Atlantique ; des boudins de Lormont ; de la lamproie et des crevettes blanches de la Gironde ; des « canalés » sucrés de Bordeaux ; des macarons de Saint-Émilion. Manque à l'appel un fromage régional. Mais les Bordelais rétorqueront qu'ils sont pleinement satisfaits des fromages « pur brebis », originaires de la vallée d'Ossau, dans les Pyrénées-Atlantiques.

L'entrecôte grillée aux sarments de vigne mérite une mention spéciale. Même les plus grands crus tirent bénéfice de ce mariage. C'est l'un des plats traditionnels servis aux vendangeurs – souvent au petit déjeuner. Autre spécialité, la lamproie à la Bordelaise, acompagnée d'une sauce au vin rouge. Ce curieux poisson, prédateur redoutable, fréquente encore les eaux de la Gironde, où sa pêche est limitée. La lamproie est aussi préparée en bocaux et vendue chez les traiteurs. Autrefois, le fleuve comptait des esturgeons, et c'est dans la petite ville de Blaye que l'on produisait le caviar. Aujourd'hui, la pêche à l'esturgeon est interdite, et l'on s'efforce de repeupler le fleuve. Autre spécialité encore, les « chevrettes », petites crevettes blanches, presque transparentes, qui se dégustent en apéritif et s'achètent dans les guinguettes en bordure des rivières.

Comment utiliser
ce guide

Ci-dessus : *Un vignoble à Fronsac.*
Cette jolie commune s'étend à l'ouest
de Saint-Émilion et produit des vins
de mêmes cépages : merlot
et cabernet-franc.

Ce guide vous fait découvrir les nombreux vignobles du Bordelais, considéré, on l'a vu précédemment, comme la première région viticole du monde. Ce qui explique les multiples détails fournis. Pour chaque ville ou village, notamment, cet ouvrage s'efforce de vous donner toutes les informations nécessaires. Prenons l'exemple de Saint-Émilion : vous trouverez non seulement la liste et la description des principaux monuments et autres centres d'intérêt, mais aussi des boutiques où acheter les spécialités locales.

Le Bordelais compte un nombre relativement restreint de bons hôtels. C'est pourquoi, pour certaines localités, nous avons également fourni quelques adresses de chambres d'hôte. Quant aux restaurants, ils varient du plus simple au plus luxueux. Certains établissements ne sont vraisemblablement pas cités dans d'autres guides, et ressortent d'un choix hors des sentiers battus. Les tarifs hôteliers sont valables, en principe, pour une chambre double, petit déjeuner non compris. Les prix des restaurants correspondent aux menus les moins chers, sans le vin.

Vous trouverez aussi une liste des meilleurs viticulteurs pour chaque commune. Nous avons dû établir une sélection, inévi-

CARTES
À droite : *Cartes détaillées*
des vignobles indiquant
les limites communales, les crus
classés, et autres frontières
vinicoles, ainsi que les routes
vinicoles. Ces dernières traversent
les villages et vignobles les plus
importants, mais n'hésitez pas à
vous aventurer à l'intérieur des terres.

tablement arbitraire, mais il était impossible de citer tous les châteaux et les coopératives bordelais dignes d'apparaître dans cet ouvrage.

HÔTELS

Quand vous réservez dans un hôtel, demandez toujours une chambre au calme, ou donnant sur une cour si l'établissement en possède une. Si votre sommeil est léger, vérifiez que l'hôtel n'est pas adossé à l'église (à cause des cloches) ou installé au-dessus d'un café ouvert la nuit. Si vous avez l'intention d'arriver plus tard, prévenez par téléphone, sinon votre chambre risque d'être donnée à un autre client. Si nécessaire, envoyez une confirmation écrite, par lettre ou par fax. Renseignez-vous auprès de l'office du tourisme de la localité pour obtenir la liste des personnes qui louent des chambres d'hôtes, ou des gîtes ruraux.

RESTAURANTS

Il est recommandé de réserver à l'avance et de vérifier les jours et les heures d'ouverture de l'établissement. Il est également conseillé d'opter pour l'un des menus à prix fixes proposés, offrant le meilleur rapport qualité-prix et les produits frais du jour. Dans les restaurants modestes, préférez les plats régionaux, ils seront mieux préparés et moins chers. Choisissez les vins de la localité ou de la commune viticole où vous vous trouvez : ils auront été sélectionnés avec plus de discernement et d'esprit critique. Une carafe d'eau du robinet est toujours gratuite.

VIGNERONS

Il n'est pas toujours aisé de rencontrer les viticulteurs réputés, en particulier si leurs millésimes atteignent des prix très élevés. Il existe aussi quelques châteaux où l'on vous fera très nettement sentir que votre présence est indésirable. Mais ne vous découragez pas. Si vous préparez votre visite à l'avance, en prenant rendez-vous par téléphone, ou par lettre, vous devriez être bien accueilli. Organisez votre périple en conséquence, sans chercher à voir plus de trois ou quatre châteaux par jour. Un chiffre déjà important si vous êtes un passionné.

En règle générale, on vous fera goûter aux deux millésimes les plus récents et, si la chance vous sourit, à un cru un peu plus ancien, déjà embouteillé. Il est admis de recracher, des seaux de sciure ou des crachoirs plus modernes sont disposés dans les salles de dégustation. Ne donnez jamais de pourboire, mais achetez au moins une bouteille de vin en signe d'appréciation (ce n'est pas nécessaire si la visite est payante).

LA VILLE DE BORDEAUX

LES CAVISTES

Badie
62, allées de Tourny ; *Tél. 56 52 23 72*
Bordeaux Magnum
3, rue Gobineau ; *Tél. 56 48 00 06*
Le Dépôt des Châteaux
37, rue Esprit des Lois ; *Tél. 56 44 03 92*
Intendant
2, allées de Tourny ; *Tél. 56 48 01 29*
Caves du Savour Club
72, quai Bacalan ; *Tél. 56 50 34 87*
Vinothèque de Bordeaux
8, cours du 30-Juillet ; *Tél. 56 53 32 05*

HÔTELS

Hôtel Burdigala
115, rue Georges-Bonnac
Tél. 56 90 16 16, fax 56 93 15 06
Situation idéale en plein centre ;
chambres spacieuses, joliment décorées.
Prix autour de 800 F ; suites à partir
de 1 200 F.
Château-Chartrons
81, cours Saint-Louis
Tél 56 43 15 00, fax 56 69 15 21
Bel hôtel, mais transport nécessaire
pour le centre. Prix à partir de 700 F.
Claret-Libertel
Cité mondiale du vin,
18, parvis des Chartrons
Tél. 56 01 79 79, fax 56 01 79 00

Près des quais, dans le vieux quartier de
Chartrons. Chambres autour de 500 F.
Mercure Bordeaux Le Lac
Rue Grand Barail ; *Tél. 56 50 90 30*
À l'extérieur de la ville, près du parc
des expositions. Une option pratique.
Prix à partir de 330 F.
Normandie
7, cours du 30-Juillet ; *Tél. 56 52 16 80*
Hôtel traditionnel, situé à côté de la
Maison du vin. À partir de 320 F.
Royal Médoc
5, rue Sèze ; *Tél. 56 81 72 42*
Hôtel non dénué d'atmosphère ;
bar agréable. Chambres autour de 280 F.

La ville de Bordeaux

Bien que premier centre économique du Sud-Ouest, Bordeaux a
perdu, au niveau européen, son rôle
prépondérant de grande ville portuaire. Néanmoins, ses quais attirent
toujours les touristes et l'on peut voir,
fréquemment, accoster des navires de
croisière, en face de la très belle place
de la Bourse. Mais avec la réduction du trafic maritime, de
nombreux entrepôts ont été désertés. Longtemps laissé à
l'abandon, le quartier des Chartrons, où étaient autrefois installées de véritables dynasties de négociants en vins, a fait
cependant l'objet d'importants travaux de restauration et de
nombreuses façades ont été ravalées. L'ouverture du périphérique sud a également mis un terme à l'intense circulation qui
engorgeait la ville.

Le vin joue un rôle décisif dans l'économie bordelaise, sans
pour autant être sa seule source de revenus, qui dépend aussi du
pétrole, des produits chimiques, de la métallurgie, de l'automo-
bile, de la fabrication du papier et de l'aéronautique. La ville est
également un grand centre de conférences et d'expositions.

Bordeaux s'est notamment dotée de plusieurs parcs d'exposition, accueillant, entre autres, tous les deux ans, Vinexpo-Vinitech, le salon mondial du vin.

ARCHITECTURE

Si certains visiteurs comparent Bordeaux à Paris pour ses larges avenues et ses boulevards (les célèbres « allées » bordelaises), la physionomie générale de la ville est classique. Victor Hugo la décrivait ainsi : « Prenez Versailles, ajoutez Anvers et vous avez Bordeaux ». Mais de telles comparaisons ne sont plus vraies aujourd'hui.

Bordeaux a en effet entrepris une vaste politique de rénovation urbaine du secteur dit « Mériadeck », le nouveau quartier de l'Hôtel de Ville, à côté de la Chartreuse, l'un des plus beaux cimetières urbains du XIXe siècle.

Bordeaux abrite quelques splendeurs comme la place de la Bourse, précédemment mentionnée, l'allée de Tourny (autrefois un vignoble), dans laquelle se dresse l'impressionnante Maison du vin, et son voisin, le Grand Théâtre, édifié par l'architecte Victor Louis entre 1773 et 1780. Sans oublier la place (ou l'esplanade) des Quinconces, un remarquable « plateau » urbain, où sont organisées diverses manifestations, comme la célébration du 14 juillet, ou le marché aux fleurs et aux antiquaires – le monument

Au centre : *La fontaine des Trois-Grâces, sur la place de la Bourse.*
À gauche : *L'un des nombreux cafés du centre de Bordeaux, où vous pourrez goûter à quelques-uns des crus de la région.*
Ci-dessus : *La flèche spectaculaire de l'église Saint-Michel.*

RESTAURANTS

Baud et Millet
19, rue Huguerie ; *Tél. 56 79 05 77*
Restaurant et boutique proposant quantité de vins étrangers et des fromages. Menus à partir de 85 F.

aux Girondins qui s'y dresse est également impressionnant –, et la place du Parlement, imprégnée d'une atmosphère presque villageoise.

Le vieux Bordeaux est en cours de restauration, et de plus en plus de galeries d'art et de restaurants s'y installent. Lorsqu'un bâtiment est démoli, le bureau archéologique de la ville s'empresse de faire pratiquer des fouilles sur le site avant que ne soit entreprise la construction d'un nouvel édifice. Ces découvertes concernent pour l'essentiel le passé antique de la ville, comme en témoignent les ruines du palais Gallien et les vestiges d'un amphithéâtre gallo-romain du IIIᵉ siècle.

À l'autre extrémité, la Cité mondiale du vin, sur le quai des Chartrons (non loin de la place des Quinconces), est entièrement moderne. Cet imposant immeuble de bureaux de verre et d'acier est un centre d'affaires autour du vin et des spiritueux. Ses nombreuses salles d'expositions présentent des vins originaires du monde entier et on y organise des animations mensuelles, avec pour thème : le vin ! Dans le hall, vous pourrez admirer un mur entièrement composé de bouteilles qui reflètent toutes les couleurs du « bienheureux liquide ».

En haut : *Enseigne traditionnelle de l'un des nombreux magasins d'alimentation de Bordeaux.*
Ci-dessus : *La rue commerçante Sainte-Catherine, dans le centre ville.*
À droite : *Le coucher de soleil sur le Pont-de-Pierre et ses lampadaires.*

Bistro du Sommelier
163, rue Georges-Bonnac
Tél. 56 96 71 78
Le propriétaire est un caviste renommé. La carte des vins reflète sa vaste connaissance : grands crus classés pour moins de 150 F la bouteille ; beaucoup sont proposés au verre. Menu simple mais savoureux, de trois plats, à environ 100 F.

La Chamade
20, rue des Piliers-de-Tutelle
Tél. 56 48 13 74 ou 56 79 29 67
Des voûtes du XVIIIᵉ siècle abritent l'un des meilleurs restaurants de Bordeaux. Menus à partir de 180 F ; vins originaires de Saint-Julien et de Saint-Émilion.

Le Chapon fin
5, rue Montesquieu
Tél. 56 79 10 10, fax 56 79 09 10
L'un des meilleurs restaurants du Sud-Ouest. Son propriétaire, Francis Garcia, est un personnage incontournable de la gastronomie bordelaise. Le mobilier de son restaurant est luxueux. Menus pour le déjeuner à environ 135 F, sinon il faut compter autour de 400 F. Carte des vins excellente comportant de nombreux crus à un prix abordable.

BOUTIQUES ET MARCHÉS

Voici quelques bonnes adresses où faire vos courses à Bordeaux. La rue Sainte-Catherine, longue de plus d'un kilomètre, est bordée de grands magasins et de boutiques spécialisées. Vous pourrez profiter du parking, proche de la place des Quinconces, en contrebas des allées de Tourny.

La ville abrite aussi deux grands centres commerciaux, le Mériadeck, en plein centre et flanqué d'un parking couvert, et le Bordeaux-Lac (ou Mérignac) à l'aéroport. Dans le centre de Bordeaux encore, une galerie marchande récente, les Grands Hommes, est installée dans un superbe édifice avec des boutiques sur trois étages, et un parking au sous-sol. Elle tire son appellation du nom des personnages illustres que portent les rues qui y mènent (Montesquieu, Diderot, Voltaire, etc.).

Si vous aimez les marchés, ne manquez par celui des Capucins. Dès 5 heures du matin, vous pourrez y acheter des produits frais en compagnie des plus grands chefs de la ville. Il se tient dans le plus vieux quartier de la cité, près de la place de la Victoire, « le ventre de Bordeaux ».

Pour déguster le meilleur chocolat, les Bordelais se rendent chez Saunion, 56 cours Georges-Clémenceau, où depuis trois générations, ces artisans chocolatiers font des merveilles. Pour les amateurs de fromage, la meilleure adresse est Jean d'Alose, rue Montesquieu. La boulangerie flamande du 25 rue Camille-Sauvageau est agréable, et tenue par un véritable maître-boulanger, Jan Demaitre.

En haut : *Une architecture élégante domine le centre de Bordeaux.*
Ci-dessus : *Produits frais de l'un des nombreux marchés de la ville.*

Le Dégustoir
8, rue André Dumercq
Tél : 56 91 25 06
Rendez-vous des amateurs de vin. Dégustation de crus peu connus au verre. Recommandé pour son *plateau fond de barrique*. Atmosphère amicale.
Didier Gélineau
26, rue de Pas-Saint-Georges
Tél : 56 52 84 25
Un endroit agréable, aux prix intéressants. Menu à environ 120 F.
Le Pavillon Boulevard
120, rue de la Croix-de-Seguey
Tél. 56 81 51 02
Plus cher, mais excellent. Mêle cuisine nouvelle et traditionnelle. Menu à environ 300 F.

Chez Philippe
1, place du Parlement. *Tél. 56 81 83 15*
L'une des meilleures adresses de poissons, crustacés, crabes et homards.
Un menu à 185 F offre le choix entre
quatre entrées, quatre plats principaux
et quatre desserts. Le restaurant
est aménagé en cabine de bateau.

Le Rouzie
34, cours du Châpeau-Rouge
Tél. 56 44 39 11
Chez les Gautier s'est opéré un judi-
cieux partage des tâches ; elle règne
dans la cuisine, il est responsable de
la carte des vins. Et tous deux font
cela avec grand talent. Vous pourrez
découvrir des vins régionaux peu
connus, à des prix très abordables.
Menu à partir de 140 F.

La Tupina,
6, rue Porte-de-la-Monnaie
Tél. 56 92 99 00
L'une des cuisines les plus originales
de Bordeaux, sous la direction de son
chef, le très dynamique Jean-Pierre
Xiradakis. Avec certains plats, il
fournit même le nom du boucher.
L'atmosphère y est somptueuse, un
brin nostalgique, et la carte des vins
propose des crus très abordables.
Menu à partir de 140 F. Service parfait.

ACHETER DU VIN

Le visiteur qui vient dans le Bordelais pour acheter
du vin peut se rendre directement dans les châteaux
de la région, chez les cavistes ou dans les supermar-
chés. La plupart des châteaux de grands crus classés
ne vendent pas de vin aux particuliers, mais beaucoup de crus bourgeois le font – une solution qui
n'est pas nécessairement la plus économique. En
achetant dans une boutique, en effet, vous pourrez
faire des comparaisons. Pendant longtemps, La
Vinothèque, en face de la Maison du vin, fut considérée comme la meilleure adresse. Les autres sont Badie, Bordeaux
Magnum et l'Intendant. Badie est un très vieil établissement ; à
l'opposé, Bordeaux Magnum, au fond de la Maison du vin, est
une cave moderne, climatisée, qui offre une bonne sélection de
vins, en particulier des communes de Pessac et de Léognan
(Graves) ; elle possède même une succursale à Tokyo. L'Intendant,
quant à lui, propose une variété extraordinaire de millésimes. Pour
découvrir toute la sélection de cette cave, qui mérite une visite
uniquement pour son décor, il faut emprunter un escalier en coli-
maçon : plus on descend, plus les crus sont anciens. La Cité mondiale du vin, enfin, abrite une succursale Nicolas. On peut aussi se
rendre à la salle des ventes du Savour Club, sur le quai Bacalan, une
société de vente par correspondance, avec des possibilités de
dégustation et de vente au détail dans de nombreuses villes. On
peut en devenir membre gratuitement, en achetant seulement une
bouteille par an. Quant au Dépôt des châteaux, c'est une petite
cave, assez récente, installée dans la vieille ville, qui propose quantité de vins moins connus, à des prix de château.

Autre solution, enfin, qui surprendra plus d'un amateur : le
supermarché ! Il est vrai que Leclerc-Candéran et Leclerc-Léo-
gnan offrent souvent une très bonne sélection de vins. Ce dernier posséderait même, semble-t-il, le plus vaste éventaire de
vins de France.

En haut, à gauche : *Une partie du monument commémoratif et la fontaine des Girondins, célébrant la Concorde, la Liberté, la Fraternité, l'Abondance, élevé entre 1894 et 1902.*
En bas, à gauche : *Bordeaux est le paradis des amateurs de poissons et de fruits de mer.*
Ci-contre : *Autre marché de Bordeaux, en face de la porte de la cité médiévale.*

Le Vieux Bordeaux
27, rue Buhan
Tél. 56 52 94 36
Au cœur de la vieille ville se cache ce restaurant non dénué d'atmosphère, aux chandeliers de cuivre et aux chaises tapissées rouges. Excellent rapport qualité/prix. Menu à partir de 170 F. Carte des vins importante avec de nombreux grands crus.

RESTAURANTS : ENVIRONS DE BORDEAUX

ARCACHON
Chez Yvette
59, boulevard du Général-Leclerc
Tél. 56 83 05 11
Le restaurant le plus réputé de la ville où l'on peut déguster les produits en provenance du bassin et de l'Atlantique. Il faut goûter la soupe de poisson de Madame Yvette. Menus à partir de 85 F.

ARÈS
Le Saint-Éloi
11, boulevard Aérium
Tél. 56 60 20 46
C'est l'endroit où se restaurer sur la rive nord du bassin, entre Biganos et Cap-Ferret. Cuisine régionale traditionnelle très correcte. Menus à partir de 110 F. Bonne carte des vins à un prix abordable.

GUJAN-MESTRAS
La Guérinière
18, cours Verdun
Tél. 56 66 08 78, fax 56 66 13 39
Magnifique hôtel-restaurant avec un bar agréable et une piscine. Bonne cuisine traditionnelle. Menus à partir de 125 F. Chambres modernes, confortables, avec terrasse, à partir de 450 F.
Les Viviers
Port Larros
Tél. 56 66 01 04
Les Castaing sont ostréiculteurs et restaurateurs depuis cinq générations. Leur restaurant de poisson occupe un emplacement unique sur le port. Le premier étage est particulièrement recommandé. Menu à partir de 120 F le midi ; spécialités du jour proposées sur une ardoise. Huîtres excellentes. Plats de poissons délicieux. Spécialité : *plateau de fruits de mer* à 120 F environ. La simplicité de la carte des vins est en harmonie avec les plats servis.

HÔTELS
Il y a encore une dizaine d'années, l'infrastructure hôtelière n'était guère à la hauteur d'une ville de cette ampleur. Mais la situation s'est radicalement transformée. Des chaînes hôtelières se sont installées et, pour les touristes de passage, certains établissements offrent des chambres à des prix très raisonnables. Dans le centre ville, le choix ne manque pas. Les hôtels Normandie et Royal-Médoc, notamment, sont agréables, bien qu'un peu vieillots, et très bien situés. Le Burdigala demeure toutefois le meilleur établissement de la ville. C'est l'un des plus confortables, mais aussi l'un des plus chers. Pour ceux enfin qui souhaitent s'immerger entièrement dans l'univers du vin, comment ne pas recommander le luxueux Mercure Château-Chartrons ou l'hôtel Claret, installé dans le Cité mondiale du vin.

RESTAURANTS
Bordeaux compte des restaurants à tous les prix et, dès 12h30, il devient très difficile d'obtenir une table dans l'un des établissements réputés. La plupart offrent, à l'heure du déjeuner, un menu fixe moins onéreux que la carte. Les restaurants sont trop nombreux pour que l'on puisse être exhaustif : à vous de découvrir les richesses culinaires de cette ville ; il est probable que vous ne serez pas déçu.

Le Médoc

L e Médoc occupe une péninsule triangulaire, au nord-ouest de Bordeaux, comprise entre l'océan Atlantique, à l'ouest, et l'estuaire de la Gironde à l'est. Leurs influences s'associent pour créer un micro-climat idéal pour les vins. Le nom de Médoc vient du latin, *in medio aquae* (« au milieu des eaux »).

À Saint-Seurin-de-Cadourne, au centre de la presqu'île, le Médoc se divise en deux régions : le Haut-Médoc et le Bas-Médoc, et en deux appellations. Une division qui n'est pas sans prêter à confusion. Tout d'abord parce qu'il n'existe pas d'appellation bas-médoc, les vins produits par cette région prenant le nom de Médoc. Ensuite, parce que le Haut-Médoc ne se trouve pas au nord, comme on pourrait l'imaginer, mais au sud, près de Bordeaux. Les deux régions couvrent une surface sensiblement égale, d'environ 3 500 hectares, mais les vins du Haut-Médoc sont considérés comme supérieurs à ceux du Médoc.

C'est seulement au XVIᵉ siècle que l'on commença à planter des vignes dans le Médoc, avec la constitution par des marchands audacieux de vastes propriétés viticoles dont les deux premières furent Macau et Margaux. Au XVIIIᵉ siècle, le Médoc est devenu une région vinicole de premier plan, comme en témoigne la multiplication d'églises et de manoirs. Au début du XIXᵉ siècle, on a entrepris la construction de la majorité des châteaux.

Aujourd'hui, l'économie de la région dépend de deux facteurs : la viticulture et le tourisme (axé essentiellement sur la côte Atlantique). Le nombre de passionnés de vins qui se rendent dans le Médoc ne cesse d'augmenter, et tout est fait, ou presque, pour faciliter leur séjour et la visite des châteaux. Pendant la période estivale, de nombreuses propriétés ouvrent désormais leurs chais au public et organisent des expositions.

En revanche, les visiteurs qui souhaitent se distraire le soir devront se rendre à Bordeaux et non dans le Médoc qui, dès le coucher du soleil, redevient silencieux et solitaire.

À gauche : *Le château Beychevelle, à Saint-Julien. Cette commune présente la plus forte concentration de crus classés du Médoc. Ses vins* *offrent un compromis entre la saveur corsée des pauillacs, au nord, et la délicatesse, le bouquet suave des margaux, au sud.*

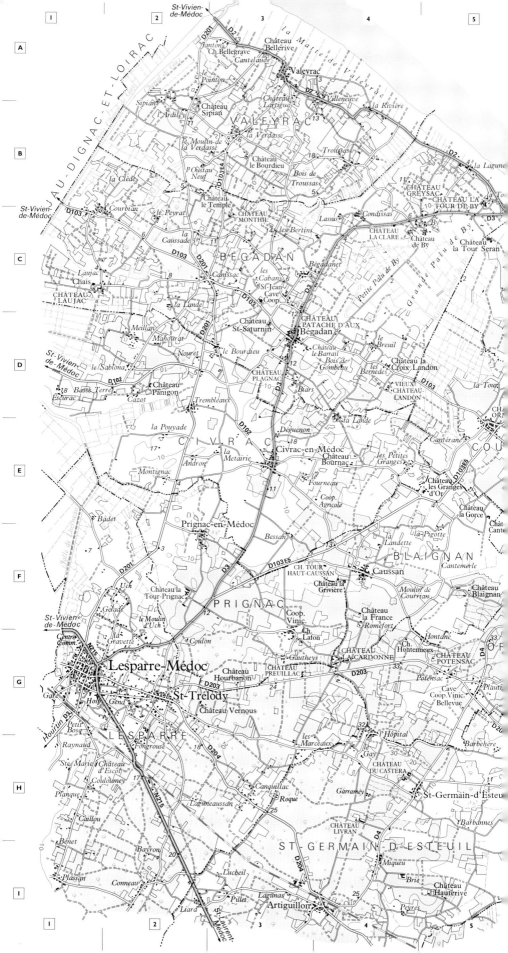

Nord du Médoc

La partie nord du Médoc, délimitée au sud par le village de Saint-Seurin-de-Cadourne, est représentée ci-contre. On lui donne le nom de Bas-Médoc, bien qu'elle se situe au nord, parce qu'elle s'étend en aval de la Gironde. Les appellations reçoivent le nom, plus flatteur, de Médoc.

De nombreux visiteurs s'intéressant exclusivement aux grands crus classés ne dépassent pas au nord Saint-Estèphe, ou même reviennent sur leurs pas au château Cos d'Estournel. Ils ont tort, car le Médoc est une région qui offre bien des surprises agréables. Non seulement les amateurs de vin y découvriront des crus excellents, d'un prix abordable, mais le paysage y est souvent magnifique. Par moments, on a presque l'impression de se trouver en Camargue ou au milieu de polders hollandais.

L'eau semble partout présente dans la région, en raison de l'abondance des noues et des canaux tout particulièrement. Jusqu'au XVIIe siècle, le Médoc était décrit comme une région sauvage et solitaire, « une terre de misère ». Pays de forêts et de marécages, les terres basses étaient souvent inondées et le paludisme y faisait des ravages. À tel point que l'on surnomma cette maladie la « médoquine ». En 1628, le duc d'Épernon chargea des ingénieurs flamands et hollandais

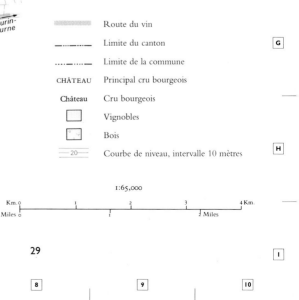

Nord du Médoc

(ligne pointillée)	Route du vin
———	Limite du canton
—·—·—	Limite de la commune
CHÂTEAU	Principal cru bourgeois
Château	Cru bourgeois
(carré blanc)	Vignobles
(carré hachuré)	Bois
— 20 —	Courbe de niveau, intervalle 10 mètres

1:65,000

Km. 0   1   2   3   4 Km.

Miles 0   1   2 Miles

NORD DU MÉDOC

🔑 HÔTELS

GAILLAN-EN-MÉDOC
Château Layauga
Tél. 56 41 26 83, fax 56 41 19 52
Ce charmant hôtel-restaurant possède
7 chambres (à partir de 520 F).
La cuisine y est excellente,
avec quelques plats remarquables.
Menu à partir de 200 F. À l'automne,
les cèpes au jus de truffes
sont un délice. La carte des vins
est de premier ordre.

QUEYRAC
Hôtel des Vieux Acacias
4, rue Docteur-Donèche
Tél. 56 59 80 63, fax 56 59 85 93
Charmant hôtel dans un petit parc.
Le petit déjeuner offre une excellente
surprise : du melon au jambon.
Chambres à partir de 220 F.

🍽 RESTAURANT

SAINT-CHRISTOLY-MÉDOC
La Maison du Douanier
1, route de By
Tél. 56 41 35 25, fax 56 41 35 43
Spécialités régionales, à des prix
abordables, à déguster sur la terrasse
au bord de l'eau. Ouvert tous les jours
en juillet et en août.

Au centre : *Vie champêtre dans une ferme de Saint-Seurin, dans le Médoc.*
Ci-dessus : *Les canards et les oies sont élevés pour la confection du foie gras, délicieux avec un sauternes.*
À droite : *Le vignoble du château La Tour de By, un cru bourgeois dont le niveau devrait croître.*

de l'assainissement des marais. Les polders firent leur apparition et l'on creusa des canaux pour drainer les terres arrachées aux marécages. C'est ainsi que celles situées autour de Queyrac et de Goulée reçurent le nom de « polders de Hollande », et que l'on évoquait parfois, à leur sujet, la « petite Flandre du Médoc ». On peut visiter les dimanches après-midi, de mars à la fin septembre, le moulin à vent (toujours utilisé) en bordure du village de Vensac.

Toute la région n'est pas composée de terres basses. On s'aperçut que les croupes graveleuses convenaient tout spécialement à la culture de la vigne, et l'on planta d'excellents vignobles sur ces pentes peu inclinées.

Le long de la côte Atlantique s'étendent de vastes dunes sablonneuses qui attirent de nombreux touristes. La côte ouest du Médoc, pour sa part, diffère totalement des terres émergées des marécages, le long du fleuve. C'est un paysage de falaises,

SAINT-GAUX
Chez Monique
Tél. 56 69 25 15
Simple routier situé sur la N215. Menu, à midi, pour 65 F environ, vin compris.
Valeyrac/port de Goulée
La Guinguette
Tél. 56 41 37 48
Établissement étonnant, à l'ancienne, sur le port. Une douzaine d'huitres revient à 70 F.

VITICULTEURS RECOMMANDÉS

BEGADAN
Château de By
Cru bourgeois (By)
Tél. 56 41 51 53, fax 56 41 36 10
Vin de belle robe, qui demande du temps pour se développer.
Château La Clare
Cru bourgeois (Condissac)
Tél. 56 41 50 61
Médoc d'une couleur intense, avec des arômes en bouche de fruits rouges.
Château La Croix Landon
Un bon médoc, souple et d'une saveur agréable.
Château Greysac
Cru bourgeois
Tél. 56 73 26 56
Vin onctueux, harmonieux, facile à boire.
Château Laujac
Cru bourgeois
Tél. 56 41 50 12, fax 56 41 36 65
Vin puissant, riche en tanin, qui mérite de vieillir.

de vastes lacs (comme le lac de Hourtin), de forêts de conifères et de stations balnéaires. À la pointe la plus septentrionale du Médoc, on peut profiter d'une vue panoramique sur le « continent », le port et la station balnéaire de Royan. Dans Le Verdon, un petit village flanqué d'un port, près de la Pointe de Grave, se dresse le plus grand phare de France. Il renferme même une chambre royale et une petite chapelle. La Pointe de Grave est une destination privilégiée des ornithologues, car idéale pour l'observation des migrations d'oiseaux vers le nord, au printemps.

La pointe nord n'est pas plantée de vignes. Les vignobles les plus septentrionaux du Médoc sont ceux de Jau, Dignac, Vensac et Loirac, avec quelques enclaves viticoles dans les polders qui méritent le déplacement. Entre Dignac et Goulée, prenez la D102E, qui traverse en ligne droite le polder de Hollande jusqu'à Queyrac.

Château Patache d'Aux
Cru bourgeois
Tél. 56 41 50 18, fax 56 41 54 65
Ce château est situé au centre
de Bégadan, où il servait de relais
aux « pataches », autrement dit
aux diligences. Vin opulent, avec
beaucoup de fond, lorsqu'il est jeune.
Cordier (Château Plagnac)
Tél. 56 31 56 34, fax 56 41 59 02
Vin élégant, d'une belle robe et long
en bouche.

LES VIGNOBLES

Les cépages utilisés dans les appellations contrôlées du Médoc sont les mêmes que dans les autres aires de la péninsule. Tout comme dans le Haut-Médoc, les crus bourgeois y sont nombreux. Bien qu'au XIXe siècle, le très sérieux ouvrage, *Bordeaux et ses vins* (Cocks et Ferret, 1850) fasse état de « cru paysan » et de « cru artisan », ces dénominations n'ont jamais eu de caractère officiel et ne devaient en aucun cas figurer sur l'étiquetage. La réglementation européenne ne reconnaît que la mention « cru bourgeois » sur les étiquettes, et n'autorise pas, pour le moment, les vignerons à faire état de la hiérarchie de

Ci-contre et en haut à droite :
*Les huîtres sont une spécialité
de la région. Elles sont en majorité
cultivées dans le bassin d'Arcachon,
au sud-ouest de la ville de Bordeaux.*
Ci-dessous : *L'entrée impressionnante
du domaine du château La Tour
de By. On y produit un vin très
structuré qui ne demande qu'à vieillir,
mais qui peut être néanmoins
remarquable dans sa jeunesse.*

Château Rollan de By
Tél. 56 41 58 59, fax 56 41 37 82
Visites sur rendez-vous.
Château Saint-Saturnin
Tél. 56 41 50 82, fax 56 41 36 44
Vin rond et souple, sans excès de tanin.
Château La Tour de By
Cru bourgeois
Tél. 56 41 50 03, fax 56 41 36 10
La propriété compte deux châteaux.
Le plus petit, le château La Roque
de By, remontant au XVIIIe siècle,
et le plus vaste datant du XIXe siècle.
Le domaine doit son nom à
un ancien phare utilisé autrefois
pour la navigation sur la Gironde.
D'en haut, on a une vue panoramique
sur les alentours. Le vin est excellent,
d'une couleur soutenue, et au palais
racé.
Coopérative
Tél. 56 41 50 13, fax 56 41 50 78
Le cave-saint-jean est un vin solide,
raisonnablement tannique.
Gillet Ph. (Château Landon)
Cru bourgeois
Tél. 56 41 50 42, fax 56 41 57 10
Vin bien structuré, excellent après
deux ou trois ans.

leur cru. Mais cette situation pourrait changer. Le syndicat des crus artisans, dûment reconnu par le ministère de l'Agriculture, est bien décidé à faire valoir leur place dans l'économie viticole et espère leur classement officiel.

LES ROUTES DU VIN

On peut emprunter divers itinéraires pour explorer le Médoc. On peut notamment partir de Saint-Vivien-de-Médoc, par la D2, au nord. Cette route a l'avantage de passer par les petits ports de Goulée, By et Saint-Christoly. Le restaurant sur le port, à Goulée, est une adresse incontournable. Vous pourrez aussi visiter, en chemin, le vieux phare qui se dresse sur la propriété du château La Tour de By, et Bégadan, avec son église historique et son abside du XIe siècle. Au château Loudenne, où vous pourrez déjeuner si vous avez prévenu à l'avance, vous admirerez une belle collection d'outils de la vigne. Cette propriété a aussi la particularité d'élaborer un vin blanc. Lesparre, la « capitale » de la pointe nord du Médoc, est une petite bourgade à l'atmosphère conviviale. La place, avec sa tour du XIVe siècle, l'Honneur de Lesparre, est classée monument historique. La Maison du Médoc pourra vous fournir tous les renseignements utiles sur la région et ses vins.

Ensuite, rejoignez directement Saint-Seurin-de-Cadourne, d'où vous pourrez entreprendre votre exploration du Haut-Médoc.

Ci-dessus : *Élégant escalier menant
au château La Lagune, à Ludon-Médoc.*
Au centre : *Les filets de pêche sont
un spectacle courant sur la Gironde.*
Ci-contre : *Le château Bel-Air
Lagrave, à Moulis. Ce cru bourgeois
produit des vins agréables en bouche,
bien fruités.*

SAINT-SEURIN-DE-CADOURNE

🔑 HÔTEL
Cissac-Médoc
Tél. 56 59 58 04
Le château Vieux Braneyre propose
quelques chambres d'hôtes pour 200 F
environ.

🍇 VITICULTEURS RECOMMANDÉS
Château Coufran et Verdignan
Cru bourgeois
Tél. 56 59 31 02
Le château-coufran contient une
proportion inhabituellement élevée
de merlot. Le verdignan est un vin
élégant et raffiné.
Château Sociando-Mallet
Cru bourgeois
Tél. 56 59 36 57
Belle alliance de cabernet et de merlot
pour l'un des meilleurs crus bourgeois
de la région.

VERTHEUIL

🍇 VITICULTEURS RECOMMANDÉS
Château le Bourdieu-Vertheuil
Cru bourgeois
Tél. 56 41 98 01, fax 56 41 99 32
Visitez l'abbaye de Vertheuil
du XVIIe siècle.
Château Le Meynieu
Cru bourgeois
Tél. 56 41 98 17
Visites de groupe sur rendez-vous.

Nord du Haut-Médoc

Haut-médoc est l'une des deux appellations régionales de
la péninsule (l'autre étant médoc, comme nous l'avons
vu précédemment) – une appellation qui couvre quelque
3 500 hectares de vignobles. Le Haut-Médoc commence à la
limite nord du village de Saint-Seurin-de-Cadourne pour
s'achever à quelques kilomètres au nord de Bordeaux, à proximité du château Magnol. Bien que cette aire forme une entité,
interrompue çà et là par des appellations beaucoup plus
modestes, nous avons choisi dans ce guide de décrire séparé-
ment le nord et le sud du Haut-Médoc, la limite étant marquée
par Saint-Laurent.

En partant de Saint-Seurin-de-Cadourne, au nord, vous traverserez quelques-uns des plus beaux vignobles de la région,
avant de rejoindre Bordeaux au sud. Mais, au préalable, vous
devrez choisir d'où partir : explorer le Bas-Médoc (*voir p. 29-33*),
ou vous diriger vers Saint-Seurin et, de là, emprunter la route
des vins.

À l'ouest de Saint-Seurin-de-Cadourne, les trois villages de
Vertheuil, Cissac et Saint-Sauveur forment la frontière avec le
Médoc. Cette zone d'appellation ne compte aucun grand cru

classé, ce qui explique qu'elle attire peu les visiteurs. Ils ont tort. Le paysage du nord du Haut-Médoc est magnifique, avec ses collines doucement vallonnées, et ses petits villages pittoresques semblant assoupis : on est loin des terres uniformément plates du centre et du sud. Autre avantage, les viticulteurs vous réserveront généralement un accueil chaleureux et vous offriront un verre de vin. En revanche, les restaurants sont rares. Vous pourrez toujours vous contenter d'un sandwich ou d'un plat à l'une des auberges de village, une bien « maigre » consolation pour les gastronomes !

En règle générale, les amateurs placent les vins de Saint-Seurin-de-Cadourne au-dessus de ceux de Vertheuil, Saint-Sauveur et Cissac. Une supériorité qui s'explique sans doute par les sols sur lesquels sont établis les vignobles, et leur situation, car Saint-Seurin s'étend pratiquement sur la rivière. Sur le plan géologique, il fait partie du plateau de Saint-Estèphe, une relation dont les vins apportent indéniablement la preuve. Le château Sociando-Mallet est l'un des fleurons de Saint-Seurin.

Vertheuil, entre Cissac et Pez, mérite également un détour. Ce petit village possède non seulement deux châteaux mais une église datant du XIe et du XVe siècle, aux proportions impressionnantes, ainsi qu'un charmant vieux cimetière. Sans oublier l'abbaye, classée monument historique, qui abrite des expositions.

CISSAC-MÉDOC

VITICULTEURS RECOMMANDÉS

Château du Breuil
Cru bourgeois
Magnifique château du XIIIe siècle.
Château Cissac-Vialard
Cru bourgeois
Tél. 56 59 58 39 ou 56 59 58 13
Un vin élégant.
Château Hanteillan
Cru bourgeois (Hanteillan)
Tél. 56 59 35 31, fax 56 59 31 51
Ouvert tous les jours.
Château Lamothe-Fabre
Cru bourgeois
Tél. 56 59 58 16, fax 56 59 57 97
Visites sur rendez-vous

SAINT-SAUVEUR

VITICULTEURS RECOMMANDÉS

Château Peyrabon
Cru bourgeois. *Tél. 56 59 57 10*
Vin de bonne qualité.
Château Ramage La Bâtisse
Cru bourgeois
Tél. 56 59 57 24, fax 56 59 54 14
Vin équilibré, profond, complexe.
Coopérative
Tél. 56 59 57 11, fax 56 59 52 06

Saint-Estèphe

·····—·—·—	Limite du canton
———·····——	Limite de la commune
CHÂTEAU	Cru classé
Château	Cru bourgeois
▨	Vignoble du premier cru cla▮
▨	Vignoble du cru classé
▢	Autres vignobles
▢	Bois
═ 20 ═	Courbe de niveau, intervalle 10 mètres
▬▬▬	Route du vin

Ci-contre : *Célèbre pour ses vins,
Saint-Estèphe l'était aussi, autrefois,
pour son port, qui rivalisait avec Bordeaux.
Il n'en reste qu'une minuscule rade
essentiellement utilisée par les bâteaux
de pêche et de plaisance.*

SAINT-ESTÈPHE

Lorsque l'on quitte la pointe médocaine pour rejoindre le sud, Saint-Estèphe est l'une des premières communes vinicoles importantes que l'on rencontre. Empruntez la D204E3, à l'est, traversez le minuscule village de Pez, et vous êtes arrivé. Vous avez laissé derrière vous le paysage uniformément plat, ou presque, du Médoc, pour pénétrer dans un terroir vallonné, plus « romantique », qui offre quelques vues d'une rare beauté.

À pratiquement tous les carrefours, un panneau indique la présence d'un château à proximité. Ces signalisations se révèlent d'ailleurs souvent très utiles, car il est facile de se perdre au milieu de toutes ces petites collines qui empêchent de voir ce qui se cache derrière.

Cœur de la commune, Saint-Estèphe est un petit village entouré de hameaux. Cos, un simple lieu-dit, en est un exemple parmi beaucoup d'autres. En termes d'aire vinicole, saint-estèphe est la plus vaste des six appellations communales du Médoc. En revanche, elle compte seulement cinq grands crus classés (ce qui est peu, comparé aux autres appellations), mais quantité de crus bourgeois, et ces dernières années, les vins de Saint-Estèphe ont toujours été bien placés lors de leur participation à la Coupe des crus bourgeois.

1:42,000

Km. 0   1   2 Km.

Miles 0   1 Mile

36

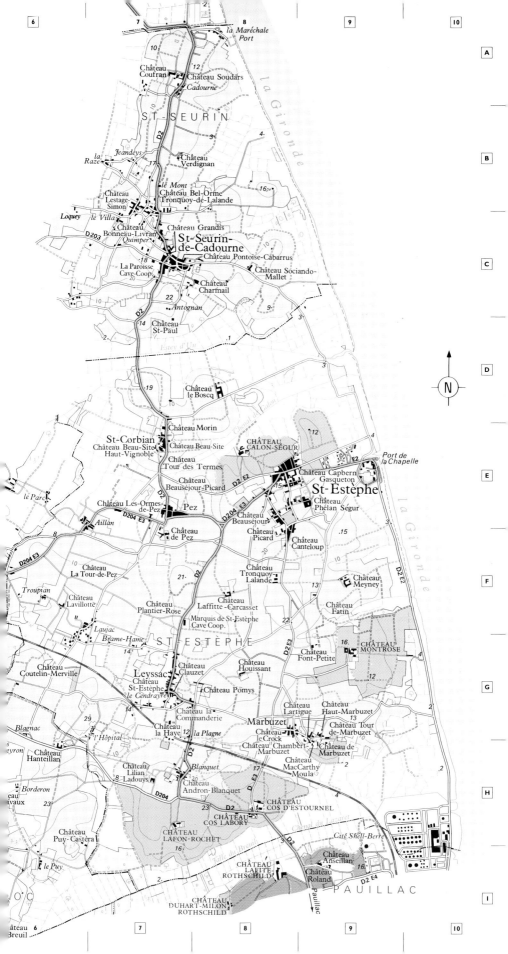

la Maréchale
Port

6   7   8   la Maréchale   9   10
Port

Château
Coufran

Château Soudars

Cadourne

ST-SEURIN

la
Raze   Jeandeys

Château
Verdignan

le Mont
Château Bel-Orme
Tronquoy-de-Lalande

Château
Lestage-Simon

Loquey   le Villa

Château
Bonneau-Livran
Quimper

Château Grandis

St-Seurin-
de-Cadourne

Château Pontoise-Cabarrus

La Paroisse
Cave-Coop.

Château Sociando-
Mallet

Château
Charmail

Antognan

Château
St-Paul

Estey d'Un

Château
le Boscq

St-Corbian

Château Morin

Château Beau-Site
Haut-Vignoble

Château Beau-Site

CHÂTEAU
CALON-SÉGUR

Port de
la Chapelle

Château
Tour des Termes

Château
Beauséjour-Picard

Château Capbern
Gasqueton

St-Estèphe

Château Les-Ormes-
de-Pez

Pez

Château
Phélan Ségur

le Parc

Aillan

Château
de Pez

Château
Beauséjour

Troupian

Château
Lavillotte

Château
La Tour-de-Pez

Château
Picard

Château
Canteloup

Château
Tronquoy-
Lalande

Château
Meyney

Château
Plantier-Rose

Château
Laffitte-Carcasset

Marquis de St-Estèphe
Cave Coop.

Château
Fatin

Laujac

Brame-Hame

ST-ESTÈPHE

Château
Font-Petite

CHÂTEAU
MONTROSE

Château
Coutelin-Merville

Leyssac

Château
Clauzet

Château
Houissant

Château
St-Estèphe
le Cendrayre

Château Pomys

Blagnac

Château
Hanteillan

l'Hôpital

Château la
Commanderie

Château
la Haye

la Plagne

Marbuzet

Château
Lartigue

Château
Haut-Marbuzet

Château Tour
de-Marbuzet

Château
le Crock

Château Chambert-
Marbuzet

Château de
Marbuzet

Borderon

Château
Lilian
Ladouys

Blanquet

Château
Andron-Blanquet

Château
MacCarthy
Moula

Château
Puy-Castéra

CHÂTEAU
COS D'ESTOURNEL

CHÂTEAU
COS LABORY

CHÂTEAU
LAFON-ROCHET

Cité Shell-Berre

le Puy

Château
Anseillan

CHÂTEAU
LAFITE-
ROTHSCHILD

Château
Roland

PAUILLAC

CHÂTEAU
DUHART-MILON
ROTHSCHILD

la Girande

N

Page de droite : *Le château de Marbuzet, un édifice impressionnant datant de Louis XVI, doté d'un petit vignoble. C'est aussi le second vin du Cos d'Estournel.*
Au centre : *Le château Lilian-Ladouys, l'« étoile montante » de la commune. Christian et Liliane Thiélbot y ont aménagé leur propriété de 50 hectares en 1989.*
Ci-dessous : *Les légumes frais abondent sur les marchés de la région.*

Centre géographique du Médoc, Saint-Estèphe constitue le point équidistant de la Pointe de Grave (située à 57 kilomètres) et de Bordeaux. Le sol possède toutes les caractéristiques du terroir médocain : couches de calcaire, abondance de graviers, présence d'argile ; tandis que les pentes favorisent on ne peut mieux le drainage naturel et la distribution des eaux. La présence de la Gironde est sensible, voire manifestement visible à certains endroits. Le château Montrose disposait même de son propre débarcadère.

Le village de Saint-Estèphe possède une belle église flanquée d'une tour originale – selon les habitants, ses architectes auraient cherché à lui donner la forme d'une bouteille de vin. Mais les curiosités ne s'arrêtent pas à la seule tour de l'église. Juste en face, la Maison du vin propose un choix de crus impressionnant, vendus à des prix raisonnables, et qui, pour les plus puissants, font d'excellents vins de garde. Par ailleurs, le « Marquis de Saint-Estèphe » (la coopérative locale) est ouverte aux visiteurs du 1er juillet au 15 septembre, y compris le week-end. C'est un magnifique domaine, en bordure de la route. Pour vous restaurer, en revanche, mieux vaut continuer jusqu'à Pauillac ou Saint-Laurent.

SAINT-ESTÈPHE

 HÔTEL

Château Pomys
Tél. 56 59 73 44
Chambres d'hôtes à partir de 250 F.

À VOIR

Un très agréable itinéraire part de la Porte de la Chapelle, le petit port de Saint-Estèphe, et rejoint Pauillac. Cette route est l'une des rares voies permettant d'admirer les vignobles depuis les rives du fleuve.

VITICULTEURS RECOMMANDÉS

Château Calon-Ségur
Grand cru classé (3e)
Tél. 56 59 30 27, fax 56 59 71 51
Au XVIIe siècle, cette propriété appartenait au puissant Alexandre de Ségur, qui possédait aussi les châteaux Lafite, Latour, Mouton et de Pez. Celui-ci était son préféré. Gardez ce vin au moins 5 ans avant de le boire.
Château Cos d'Estournel
Grand cru classé (2e)
Tél. 56 73 15 55, fax 56 59 72 59
L'un des deux grands noms de l'appellation saint-estèphe. Vin corpulent, puissant, au bouquet intense. Au XVIIe siècle, la famille d'Estournel possédait diverses propriétés à Saint-Estèphe, notamment un vignoble dans le hameau

de Caux (ancienne orthographe de Cos). Situé sur une pente très graveleuse, Caux se révéla meilleur que les autres vignobles de Saint-Estèphe. Aujourd'hui, sous la direction avisée des Prats, le château, la vinification et les chais bénéficient des techniques les plus modernes.

Château Le Crock
Cru bourgeois
Tél. 56 59 30 33
Depuis quelques années, ce vin suscite, à juste titre, l'intérêt des amateurs.

Château Haut-Marbuzet
Cru bourgeois
Tél. 56 59 30 54 ou 56 59 32 94
À ne pas confondre avec le château-de-marbuzet, la seconde étiquette du Cos d'Estournel. C'est un grand vin, puissant, à la finale complexe.

Château La Haye
Cru bourgeois (Leyssac)
Tél. 56 59 32 18
On raconte que ce château servait de lieu de rendez-vous à Diane de Poitiers et Henri II. Le bâtiment date de 1557, et l'on peut voir les initiales D et H gravées dans la pierre. Vins à la robe très soutenue, délicats.

Château Meyney
Cru bourgeois
Tél. 56 95 53 00, fax 56 95 53 01
Vin plus ferme que délicat.

Château Montrose
Grand cru classé (2e)
Tél. 56 59 30 12
Seconde étoile au firmament des saint-estèphes. Vin puissant, riche et harmonieux. Le domaine évoque l'Alsace, en souvenir de son ancien propriétaire, Marthieu Dolfus, originaire de cette région, qui acquit le château en 1866. On peut encore apercevoir en bordure de la route quelques panneaux indiquant la « rue d'Alsace », ou la « rue de Mulhouse ». Aujourd'hui, Montrose est dirigé avec dynamisme par Jean-Louis Charmolüe.

Château les Ormes de Pez
Cru bourgeois
Tél. 56 59 39 88
Visites sur rendez-vous

Château Phélan-Ségur
Cru bourgeois
Tél. 56 59 30 29, fax 56 59 30 04
Après d'importants investissements, les vins sont à nouveau excellents.

Château Pomys
Cru bourgeois (Leyssac)
Tél. 56 59 73 44
Vin d'une belle ampleur, mais souple, avec un bel équilibre entre arômes de chêne et de fruits.

SAINT-LAURENT-MÉDOC

HÔTEL

La Renaissance
Tél. et fax 56 59 40 29
Simple auberge de village avec une
dizaine de chambres. Les bons repas
sont simples, d'un prix modéré avec
un menu à 65 F. De nombreux plats
régionaux, notamment des *anguilles au
vert* (sauce au vin et aux fines herbes).
La carte des vins est par trop modeste.
Chambres très simples à partir de 180 F.

VITICULTEURS RECOMMANDÉS

Château Balac
Cru bourgeois
Tél. 56 59 41 76
Vin solide avec une finale agréable.
Château Barateau
Cru bourgeois
Tél. 56 59 42 07, fax 56 59 49 91
Vin lisse et fruité.
Château Belgrave
Grand cru classé (5e)
Tél. et fax 56 59 40 20
La propriété fut entièrement rénovée
en 1979. Depuis, le belgrave ne cesse
de progresser.
Château Camensac
Grand cru classé (5e)
Tél. 56 59 41 69, fax 56 59 41 73
Visites sur rendez-vous. Vin puissant,
d'une bonne longueur en bouche.

*Ci-dessus : Le toit en pagode
du château de Cos d'Estournel,
l'une des plus remarquables propriétés
de la commune.
Au centre : La Porte de la Chapelle,
le petit port sur la Gironde, à Saint-
Estèphe. Jusqu'en 1704, une église
impressionnante dominait l'endroit,
Notre-Dame Entre-Deux-Arcs.*

SAINT-LAURENT-MÉDOC

Véritable commune vinicole, Saint-
Laurent-Médoc ne compte pas moins de
trois grands crus classés et quelques crus
bourgeois primés. Elle ne possède toutefois pas d'appellation portant son nom
(comme les communes voisines de Listrac
et Moulis), et les viticulteurs sont ratta-
chés au Haut-Médoc. En 1982, on créa
un syndicat viticole, la première condi-
tion exigée par l'INAO (Institut national
des appellations d'origine), pour que des
vignobles obtiennent l'AOC.

Saint-Laurent ne se trouve pas sur la
route des vins, la D2, mais sur une voie rapide, la N215, la liai-
son la plus rapide entre Bordeaux et Pauillac. Sur une propriété
industrielle, en bordure de la N215, se dresse une imposante
« fabrique de vin », où est élaboré et mis en bouteille l'un des
vins les plus célèbres du monde, le mouton-cadet.

Les trois grands crus classés des châteaux Belgrave, Camensac et La Tour-Carnet sont situés sur un plateau incliné qui
s'étend vers Saint-Julien. D'où leurs caractéristiques communes
avec les vins de Saint-Julien – de ce point de vue, il aurait été
plus logique de rattacher Saint-Laurent-Médoc à l'appellation
saint-julien.

Château Caronne-Sainte-Gemme
Cru bourgeois
Vin solide, de belle couleur soutenue, avec d'agréables notes fruitées.
Château Larose-Trintaudon
Cru bourgeois
Tél. 56 59 41 72, fax 56 59 93 22
Le plus vaste domaine du pays médocain appartenant à la compagnie d'assurances AGF. Vin agréable.
Château La Tour Carnet
Grand cru classé (4e)
Tél. 56 59 40 13, ou 56 59 47 32 (chais)
Vin élégant, aimable, à boire de préférence assez jeune.

Ci-dessus : *L'une des nombreuses statues qui ornent les domaines du pays bordelais. Celle-ci se dresse dans le parc du château Montrose, à Saint-Estèphe.*

Le plateau de Saint-Laurent est passablement élevé et victime de gelées nocturnes. En avril 1991, notamment, les dégâts furent tels que 80 % des vignes furent sinistrées en une seule nuit. Sa lisière orientale est boisée et, à l'exception du château de Cartujac, on n'y a pas planté de vignes. C'est là que l'on vient cueillir les précieux cèpes, qui accompagnent si merveilleusement la viande rouge. Depuis la construction d'une bretelle de contournement, Saint-Laurent-Médoc a retrouvé son calme, et les voitures sont rares au centre du village, où s'élève une église, non dénuée de caractère. À noter aussi que la localité abrite l'une des plus petites propriétés vinicoles du Médoc, le château Le Bouscat, et la plus vaste de toutes, le château Larose-Trintaudon.

Si vous venez de Bordeaux, et souhaitez emprunter la direction contraire, de Saint-Laurent à Saint-Estèphe, voici l'itinéraire que vous devrez suivre : prenez la D206, puis bifurquez à gauche juste avant l'entrée de Pauillac, en direction de Saint-Estèphe. Au passage à niveau, à Pauillac, vous retrouvez la D2. Après avoir dépassé le château Lafite-Rothschild, traversez le petit cours d'eau Jalle de Breuil : sans vous en rendre compte, vous êtes arrivé à la limite de Pauillac. Grimpez jusqu'au château Cos d'Estournel, avec son toit en pagode. Tournez à droite et dépassez Lalande pour pénétrer dans Saint-Estèphe.

PAUILLAC

Au sens strict du terme, il n'existe pas de capitale viticole du Médoc, mais de nombreux connaisseurs vous diront que s'il devait y en avoir une, la petite ville de Pauillac (dont la population ne dépasse pas les 6 000 habitants) mériterait amplement ce titre. La grande différence entre l'appellation pauillac et les autres communes vinicoles tient au fait que les noms de ses châteaux sont plus importants que celui de la commune elle-même. Comme l'expliqua un jour le professeur Émile Peynaud, « Ici, le château fournit le nom et la réputation ». De fait, Pauillac est la seule commune bordelaise à pouvoir se glorifier de posséder dix-huit crus classés et trois des quatre premiers grands crus médocains classés. La cave coopérative jouit également d'une excellente réputation, malgré la diminution du nombre de ses membres, due au fait que chaque château peut se charger de l'élaboration et de la vente de sa production.

Cette petite ville portuaire sur la Gironde diffère aussi par son histoire : les premiers cantons viticoles du Médoc datent de l'invasion romaine, à l'exception de Pauillac. Jusqu'au XIVᵉ siècle, en effet, les vignobles bordelais ne dépassèrent pas Macau, au nord, pour gagner le secteur de Margaux au XVᵉ siècle. C'est seulement au cours du XVIIᵉ siècle que la plantation de vignes s'étendit plus au nord, et il faudra attendre le milieu du XVIIIᵉ siècle pour qu'elle touche enfin Pauillac, lorsque les marchands se décidèrent à investir dans la région.

Pauillac

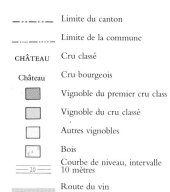

— · · — · · — Limite du canton
— · · · — · · — Limite de la commune
CHÂTEAU Cru classé
Château Cru bourgeois
▨ Vignoble du premier cru class
▢ Vignoble du cru classé
▢ Autres vignobles
▢ Bois
═20═ Courbe de niveau, intervalle 10 mètres
▓▓▓ Route du vin

Ci-contre : *L'importance du vin dans le Médoc, aussi bien sur le plan économique que culturel, se reflète dans son architecture et sa sculpture.*

Ci-dessus et ci-contre : *Pauillac,
la « capitale » du Médoc, mérite
que l'on s'y arrête pour faire quelques
achats ou simplement visiter
les châteaux.*
Page de droite : *À la différence
des autres grandes villes vinicoles
du Médoc, Pauillac est située
directement sur la Gironde.*

PAUILLAC

HÔTELS

Château Cordeillan-Bages
Tél. 56 59 24 24, fax 56 59 01 89
Cet excellent restaurant, membre
des « Relais et Châteaux », propose
des chambres luxueuses à partir de 700 F.
Le bar et le restaurant sont meublés
avec goût. La cuisine y est délicieuse,
traditionnelle. Quant à la carte des vins,
elle est tout simplement exceptionnelle
et offre tous les grands noms du Médoc.
Premier menu à moins de 200 F.
Le menu proposé au déjeuner, à partir
de 350 F, vin et café compris,
est recommandé.
**Hôtel de France
et d'Angleterre**
Tél. 56 59 01 20, fax 56 59 02 31
Cet hôtel-restaurant en bordure
des quais a été entièrement rénové.
Les chambres, très agréables, au mobilier
moderne, portent toutes le nom
d'un château. Demandez une chambre
donnant sur l'arrière. Le menu, à partir
de 100 F, propose une cuisine bourgeoise
très correcte. La carte des vins
est imposante. En bref, une adresse
agréable et abordable, si l'on souhaite
séjourner au cœur du Médoc.

Pendant des siècles, toutefois, sa situation géographique en
bordure de l'estuaire favorisa son développement. Les grands
voiliers pouvaient s'aventurer jusqu'à Pauillac et y charger leurs
cargaisons. De plus, le port était situé à une distance commode
de l'Atlantique dans un sens, et de la ville de Bordeaux, dans
l'autre. D'où les droits maritimes dont elle bénéficiait au Moyen
Âge et qui obligeaient, notamment, les navires étrangers à
embarquer un pilote et quatre matelots autochtones, qui atten-
daient la marée dans les nombreuses tavernes de la ville. Ses
quais servirent aussi maintes fois aux navires qui se rendaient en
Angleterre pour renforcer les liens entre les deux pays. Sur ce
point, l'influent homme d'affaires, Lafayette, joua un rôle
déterminant au XVIIᵉ siècle.

De nos jours, le petit port de plaisance est réputé pour ses
aménagements. La Maison du vin est installée à l'endroit où
commence le quai. On peut y acheter des vins en provenance
des nombreux châteaux de Pauillac, aux prix couramment pra-

RESTAURANT

La Salamandre
Tél. 56 59 24 87
Cet établissement très simple sur
les quais est appelé localement « Chez
Johan ». Il affiche toujours complet
à l'heure du déjeuner. Ses menus sont
très abordables, avec des plats
de poissons et de fruits de mer.

À VOIR

Le marathon annuel du Médoc, qui
se déroule à la mi-septembre, est directement lié au vin : les 42 km de la course
passent par les vignobles, avec départ
et arrivée à Pauillac. Son ambiance
de carnaval donne à cette manifestation
un caractère très particulier.

VITICULTEURS RECOMMANDÉS

Château d'Armailhac
Grand cru classé (5e)
Tél. 56 59 22 22
L'ancien Mouton-d'Armailhac fut acheté
en 1933 par le baron Philippe de
Rothschild, de Mouton-Rothschild,
la propriété attenante. De 1956 à 1974,
cette dernière porta le nom de Mouton
Baron-Philippe. En 1975, « Baron » fut
remplacé par « Baronne », en hommage
à Pauline, la seconde épouse du baron.
Depuis 1989, il a repris son nom
original d'Armailhac. Vins séduisants,
aux arômes de fruit intenses.

Château Batailley
Grand cru classé (5e)
Tél. 56 59 01 13 ou 56 59 24 49
Le parc mérite une visite avec
ses arbres importés du monde entier.
Vin agréable, tannique sans dureté,
aux plaisantes notes fruitées.

Château Clerc Milon
Tél. 56 59 05 17
Un grand vin, d'une belle complexité,
mais quelque peu sous-évalué ces
dernières années.

Château La Couronne
Des arômes subtils et fruités caractérisent ce plaisant pauillac. Délicieux.

**Château Duhart-Milon-
Rothschild**
Tél. 56 59 22 97
Très bon vin, avec un bouquet de chêne.

Château Fonbadet
Cru bourgeois
Tél. 56 59 02 11
Un harmonieux et élégant pauillac,
d'une robe intense.

Château Grand-Puy Ducasse
Grand cru classé (5e)
Tél. 56 59 00 40
Vin charnu, onctueux, avec des arômes
fruités et une petite note boisée.

Château Grand-Puy Lacoste
Grand cru classé (5e)
Tél. 56 59 06 66
Vin puissant, élégant, complexe.

Borie Haut-Batailley
Tél. 56 59 06 37
Propriété sans château. Vin rond
en bouche, à la belle finale fruitée.

tiqués, et y obtenir des renseignements sur leurs conditions de
visite. Au milieu du boulevard, en front de mer, se dresse le château Grand Puy-Ducasse avec son chai et sa cuverie. Ses
vignobles étaient divisés en différentes parcelles dans les années
1740. Aujourd'hui rassemblés et considérablement agrandis, ils
s'étendent en dehors de la ville.

Le très estimé château Mouton-Rothschild possède un splendide musée du Vin unique au monde. Il fut créé par le baron
Philippe de Rothschild et son épouse. Sa visite s'impose à tous
les œnophiles. On peut prendre rendez-vous pour une visite gui-
dée (tél. 56 59 22 22), mais attention : le musée est fermé le
week-end, les jours fériés et pendant tout le mois d'août.

La région viticole de Pauillac se divise en deux parties, dont
la limite est marquée en son centre par le chenal de Gahet, qui
se jette dans la Gironde. Cette « frontière » naturelle résulte de la
présence de deux plateaux graveleux pratiquement identiques.
La partie nord se caractérise par une altitude légèrement élevée
(une trentaine de mètres) et par des pentes assez marquées. Elle
rassemble les châteaux Lafite-Rothschild, Mouton-Rothschild et
Pontet-Canet. Au sud, en se dirigeant vers Saint-Julien, on rencontre successivement les châteaux Latour, Lynch-Bages et les
deux Pichon. Le château Latour se trouve dans le hameau de
Saint-Lambert, autrefois rattaché à la commune de Saint-Julien.

Ci-dessus : *La récolte du raisin dans les vignobles du château Pontet-Canet, voisin du château Mouton-Rothschild, à Pauillac.*
Ci-contre : *Pauillac est réputée pour ses agneaux de lait, magnifiquement accompagnés par les vins locaux.*
Page de droite : *L'allée du splendide château Mouton-Rothschild.*

Château Lafite-Rothschild
Grand cru classé (Ier)
Tél. 56 73 18 18, fax 56 59 26 83
Le baron Éric de Rothschild reprit la propriété en 1980. Raffiné, aux arômes subtils, en bouche et à la finale, c'est l'un des vins les plus prestigieux du monde. On ne peut pas visiter le château, datant du XVIIIe siècle, mais seulement ses chais entièrement rénovés.
Château Latour
Grand cru classé (Ier)
Tél. 56 73 19 80, fax 56 73 19 81
Il tient son nom d'une ancienne forteresse qui dominait autrefois le site : la tour que l'on aperçoit dans le parc est un pigeonnier, et non quelque vestige de l'ancienne fortification médiévale. Un vin magnifique, de la robe à la finale, d'une régularité exceptionnelle, ce qui explique que certains le considèrent comme le meilleur du Bordelais. D'une évolution en bouteille extrêmement lente.
Château Lynch-Bages
Grand cru classé (5e)
Tél. 56 73 24 00, fax 56 59 26 42
Un grand et classique pauillac, au bouquet de fruits rouges. Mérite mieux que son classement actuel de cinquième cru.
Château Mouton-Rothschild
Grand cru classé (Ier)
Tél. 56 59 22 22
C'est en 1922 que le baron Philippe de Rothschild acquit la propriété de Mouton qui, à l'époque, n'était qu'une ferme.

Aujourd'hui, la commune de Pauillac produit également du vin blanc. C'est notamment le cas, depuis 1991, du château Lynch-Bages, avec le lynch-blanc. Au début 1993, le château Mouton-Rothschild élabora à son tour l'aile-d'argent. Ces vins ne bénéficient bien évidemment pas de l'appellation controlée pauillac, et sont vendus sous la simple appellation de bordeaux, mais on envisage la création d'une appellation médoc blanc. Jusqu'en 1956, de nombreux châteaux produisaient du vin blanc, essentiellement pour leur consommation personnelle, mais en février de la même année, des gelées détruisirent une grande partie des vignobles de la région et, lorsque l'on replanta les vignes, les cépages blancs furent écartés.

Depuis peu, on s'intéresse également à ce que l'on appelle les « secondes étiquettes » des grands crus classés. Ce qui s'explique sans doute, en partie, par une plus forte demande concernant les propriétés les plus réputées. Une sélection plus rigoureuse des raisins au moment des vendanges dont résulte, inévitablement, une proportion plus élevée de fruits jugés d'une qualité insuffisante pour élaborer des grands crus, mais dont peuvent bénéficier les vins d'un rang inférieur. C'est notamment le cas des fort-de-latour, l'une des secondes étiquettes les plus réputées de la région. Sans oublier les carruades (autrefois appelés moulins-de-carruades), produits par

Visionnaire et tenace, le baron réussit à faire de Mouton l'un des domaines vinicoles les plus respectés et les plus visités du monde. Poète, metteur en scène, traducteur de la poésie élisabethaine, pilote de courses, le baron créa avec sa femme, Pauline, un musée vinicole, et, à partir de 1946, commanda chaque année, à un artiste célèbre, l'étiquette du mouton. En 1973, il put assister, non sans quelque fierté, à la promotion du mouton-rothschild qui passa du deuxième au premier rang des grands crus – le seul changement jamais effectué depuis la classification officielle de 1855. C'est un vin exceptionnel, aux somptueuses saveurs de cèdre et de fruits rouges.

Château Pibran
Cru bourgeois
Tél. 56 73 24 21
Vin racé, intense, tannique, d'une couleur soutenue. Il mérite d'être promu à un meilleur classement.

Château Pichon-Longueville-Baron
Grand cru classé (2e)
Tél. 56 73 17 17, fax 56 73 17 28
Tourelles et toits très pentus caractérisent ce château. En 1990, il fut entièrement rénové sous les auspices de Jean-Michel Cazes et Axa-Millésimes. Les caves sont ultra-modernes et le vin n'a jamais été meilleur. Il montre en bouche un coulant, une élégance au bouquet de fruits mûrs et de chêne.

Château Pichon-Longueville Comtesse de Lalande
Grand cru classé (2e)
Tél. 56 59 19 40, fax 56 59 26 56
Un vin remarquable, riche en arômes fruités et boisés, toujours parfaitement équilibré.

Château Pontet-Canet
Grand cru classé (5e)
Tél. 56 59 04 04, fax 56 59 26 63
L'établissement vinicole est gigantesque. La salle au-dessus des cuviers peut recevoir jusqu'à 600 personnes (pour les réceptions) et sa hauteur de plafond fait ressembler le chai à une cathédrale. Vin de couleur sombre, concentré, très fruité, avec une longue finale.

Lafite-Rothschild. En revanche, il n'existe pas de second vin du château Mouton-Rothschild.

La très réputée coopérative de Pauillac répond au joli nom de « la Rose-Pauillac ». Elle vend une appellation pauillac sous ce même nom. Les visiteurs sont les bienvenus six jours par semaine. Elle se profile à proximité de la gare ferroviaire, dans la rue du Maréchal-Joffre.

En quittant Pauillac pour rejoindre Saint-Julien, il n'est pas un amoureux du vin qui pourrait se contenter de passer devant les nouveaux bâtiments du château Pichon-Longueville-Baron, sans s'y arrêter. De fait, la D2 passe entre ses chais. Le château, qui mérite une visite, date du XIXe siècle, mais abrite des installations viticoles ultra-modernes, presque futuristes : Pichon-Longueville-Baron s'adresse à l'œnophile du XXIe siècle. Le château est ouvert tous les jours aux visiteurs.

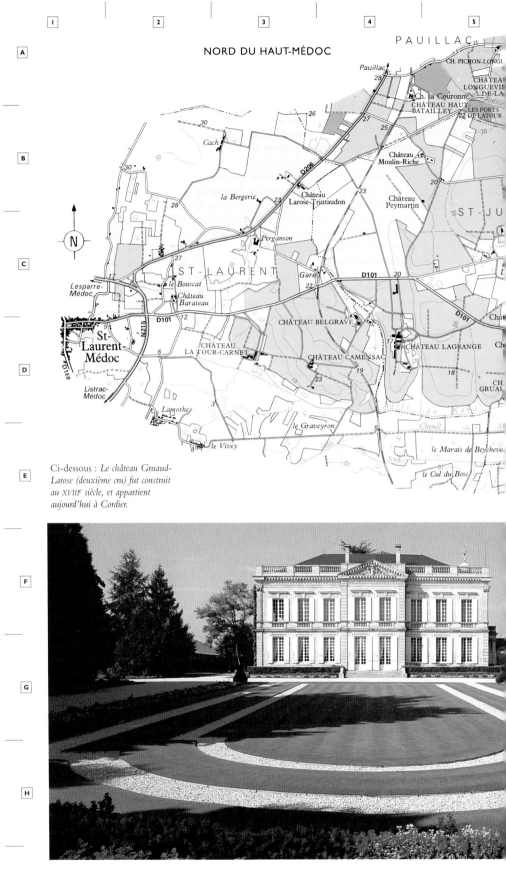

Ci-dessous : *Le château Gruaud-Larose (deuxième cru) fut construit au XVIIIe siècle, et appartient aujourd'hui à Cordier.*

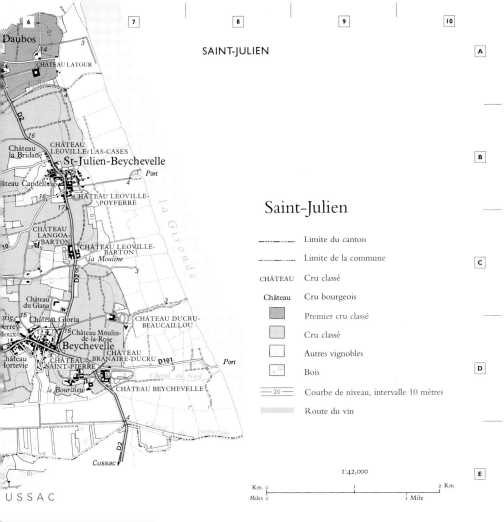

Saint-Julien

Limite du canton
Limite de la commune
CHÂTEAU   Cru classé
Château   Cru bourgeois
     Premier cru classé
     Cru classé
     Autres vignobles
     Bois
20   Courbe de niveau, intervalle 10 mètres
     Route du vin

1:42,000

Km. 0   1   2 Km.
Miles 0   1 Mile

SAINT-JULIEN-BEYCHEVELLE

La commune de Saint-Julien-Beychevelle se compose du village de Saint-Julien et de l'ancien petit bourg de Beychevelle.
L'un comme l'autre sont d'un intérêt touristique très limité,
et la vie de la commune semble entièrement axée sur la production viticole. Il est vrai qu'elle produit onze grands crus
classés et que les vignobles couvrent quelque 825 hectares.
Elle compte cependant aussi quelques châteaux qui méritent
une visite.

Lorsque l'on vient de Pauillac par la D2, on arrive d'abord
à Saint-Julien, dont l'église comporte un beau portail
gothique du XVe siècle. Le village lui-même, avec son
agréable petite place, est entouré par les trois châteaux de
Léoville. Le domaine du marquis de Léoville était le plus vaste
du Médoc jusqu'à son démembrement en trois propriétés,
après la Révolution : Léoville-Las-Cases (la plus étendue),
Léoville-Poyferré et Léoville-Barton (la plus modeste).
Depuis une dizaine d'années, le château Léoville-Las-Cases
éclipse les deux autres, indépendamment de leur indéniable
qualité. Ce qui n'est pas étonnant, dans la mesure où le but
de son propriétaire est de le voir accéder au rang de premier
grand cru. Années après années, son succès grandissant a une
fâcheuse influence sur son prix, ce qui incite les amateurs à

SAINT-JULIEN-BEYCHEVELLE

VITICULTEURS RECOMMANDÉS

Château Beychevelle
Grand cru classé (4e)
Tél. 56 59 23 00, fax 56 59 29 00
Ce château du XVIIe siècle est l'un des plus beaux du Médoc. Vin charpenté qui demande de la patience – la récompense sera à la hauteur de l'attente.

Ci-dessous : *Le château Saint-Pierre, un quatrième cru.*

Château Branaire-Ducru
Grand cru classé (4e)
Tél. 56 59 25 86, fax 56 59 16 26
Délicats arômes de fleurs, finale élégante.
Château Ducru-Beaucaillou
Grand cru classé (2e)
Tél. 56 59 05 20
Le château se dresse majestueusement sur la pente orientale du plateau graveleux le plus au sud de Saint-Julien. Sa façade, flanquée de deux énormes tours néo-gothiques, domine la Gironde. La vue est encore rehaussée par un parc magnifique. Le vin est complexe et parfaitement équilibré.
Château Gloria
Tél. 56 59 08 18
Vin équilibré et généreux.
Château Gruaud-Larose
Grand cru classé (2e)
Tél. 56 59 27 00, fax 56 59 64 72
L'un des vins les plus harmonieux du village. Le château, avec ses salons Louis XVI et son beau parc, fut entièrement rénové en 1995.

lui préférer souvent sa seconde étiquette, le clos-du-marquis, plus accessible. Incontestablement, le Léoville-Las-Cases est en passe d'atteindre le niveau de premier grand cru.

Le nom de Henri Martin est indissociablement lié à celui de Saint-Julien. Il n'en fut pas seulement le maire et un de ses viticulteurs, mais aussi l'un des fondateurs de la Commanderie du Bontemps de Médoc et des Graves. Il mourut en 1991, et pour évoquer son souvenir un buste de bronze se dresse dans un petit jardin de Beychevelle, au virage de la D2 devant le château Saint-Pierre – propriété du même Henri Martin. (Juste avant ce virage, on aperçoit un panneau publicitaire représentant une gigantesque bouteille, qui n'est pas du meilleur goût).

Autre détail intéressant : les châteaux de Beychevelle, Branaire et Gruaud-Larose, furent bâtis au XVIIIe siècle, dans l'alignement les uns des autres. Le premier est le plus célèbre, en particulier pour son imposante façade. Mais n'hésitez pas à jeter un coup d'œil à l'arrière du bâtiment, d'où l'on a une vue superbe sur la Gironde. Beychevelle appartenait autrefois aux ducs d'Épernon.

Château Lagrange
Grand cru classé (3e)
Tél. 56 59 23 63
C'est l'un des châteaux les plus intéressants du Médoc à visiter. Depuis qu'elle a été reprise en mains par la gigantesque société japonaise Suntory, fin 1983, la propriété a presque entièrement été rénovée, de la cuve à la tour de guet. Le vin, un saint-julien classique, ne cesse de s'améliorer.

Château Lalande-Borie
Vin raffiné, bien structuré, très fruité.

Château Langoa-Barton
Grand cru classé (3e)
Tél. 56 59 06 05, fax 56 59 06 03
Construite sur de belles caves, cette chartreuse est l'un des joyaux du Médoc, avec ses jardins en terrasse. C'est le seul grand cru qui appartienne toujours à la même famille, les Barton, depuis 1855, lorsque fut instaurée la classification officielle. Le vin ressemble beaucoup à son grand frère, le Léoville-Barton, bien que moins profond.

Château Léoville-Barton
Grand cru classé (2e)
Tél. 56 59 06 05, fax 56 59 06 03
Cette propriété appartient également à la famille Barton, qui émigra d'Irlande au début du XVIIIe siècle. Vin d'une belle couleur sombre, riche et très structuré.

En haut : *Des barriques empilées dans la cave du XVIIe siècle du château Beychevelle.*
Au centre : *Une vue aérienne de Gruaud-Larose qui montre combien les châteaux du Médoc se détachent de manière spectaculaire sur le paysage souvent plat de la région.*

Château Léoville-Las-Cases
Grand cru classé (2e)
Tél. 56 59 26 56, fax 56 59 18 33
Après la Révolution, la propriété
du marquis de Léoville fut morcelée en
trois parcelles : les châteaux de Léoville-
Las-Cases (le plus vaste), Léoville-Poyferré et Léoville-Barton. Le responsable
de la propriété, Michel Delon, produit
un vin remarquable, légèrement austère
quand il est jeune, mais qui développe
une élégance indéniable avec le temps.

Château Léoville-Poyferré
Grand cru classé (2e)
Tél. 56 59 08 30, fax 56 59 60 09
Un peu sous-évalué, il mérite son
classement pour son bouquet, son fruité
et sa longueur de bouche.

Château Moulin de la Rose
Tél. 56 59 08 45, fax 56 59 73 94
Vin excellent, d'une couleur intense,
bien structuré.

L'un d'eux fut amiral de France et l'on raconte qu'à leur passage devant la chartreuse les bateaux devaient baisser leur voile
en signe de respect – d'où son nom. En gascon, en effet, l'expression était *bacha velo*, autrement dit « baisser les voiles ». Une
tradition qui semble perdurer à Saint-Julien. Encore aujour-
d'hui, le visiteur peut lire inscrit sur un panneau à l'entrée de
la commune : « Passants, vous entrez dans le très célèbre et très
illustre cru de Saint-Julien. Saluez ».

Le château Branaire a bénéficié, pour sa part, de la construction d'un impressionnant chai doté d'un véritable
« laboratoire » de dégustation, en son centre. Un peu plus loin,
entre les châteaux Beychevelle et Saint-Laurent s'étend le vaste
domaine du château Lagrange qui, depuis 1983, appartient à la
gigantesque firme japonaise Suntory. Celle-ci a entrepris une
vaste rénovation non seulement du château, mais également des
chais et des vignobles ; c'est aujourd'hui l'une des plus belles
propriétés du Médoc, méritant incontestablement une visite.

Avec la multitude de bâtiments annexes qui
l'entourent, il ressemble davantage à un petit
bourg du XIXe siècle qu'à un château.

Ci-dessus : *Grappes de glycine*
au château Léoville-Poyferré,
l'un des trois châteaux Léoville,
appartenant au marquis de Léoville,
propriété morcelée à la Révolution.
À droite : *Construit au XVIIe siècle,*
le château Beychevelle est considéré
comme l'un des plus beaux du Médoc.
Page de droite : *Derrière ces portes*
traditionnelles se dissimule
la technologie vinicole de pointe
utilisée au château La Lagune,
propriété du champagne Ayala.

Château Saint-Pierre
Grand cru classé (4e)
Tél. 56 59 08 18
Vin rond en bouche. Sa qualité ne
cesse de s'améliorer.

Château Talbot
Grand cru classé (4e)
Tél. 56 73 21 50, fax 56 73 21 51
Avec plus d'une centaine d'hectares
de vignes, c'est la plus vaste propriété
de Saint-Julien. Elle doit son nom à
John Talbot, comte de Shrewsbury,
qui y séjourna en 1453 avant
de trouver la mort lors de la bataille
de Castillon. Vin charmeur, racé
et de belle structure.

Sud du Haut-Médoc

CUSSAC-FORT-MÉDOC

On retrouve le nom de « Cussac » dans celui de deux hameaux, Vieux-Cussac et Cussac-Fort-Médoc, mais c'est ce dernier qui est utilisé pour désigner la commune.

Avant d'atteindre Cussac (près de la D2, entre Cussac et Saint-Julien), on aperçoit le château Lanessan, digne d'être promu au rang de grand cru. Outre son vin, il est réputé pour son musée Hippomobile, qui mérite incontestablement une visite. On peut y admirer des attelages des XIXe et XXe siècles, dans des écuries magnifiquement aménagées. Il ne doit toutefois pas faire oublier le château Beaumont qui, depuis quelques années, appartient à une fondation. L'édifice restauré a retrouvé sa splendeur passée, et ses vignobles ont été largement replantés.

Le fort de Cussac, en bordure de la rivière, est l'œuvre de Vauban, auquel on doit aussi la transformation de la citadelle de Blaye en une ingénieuse forteresse. L'objectif de tous ces bâtiments fortifiés était d'assurer la protection de Bordeaux, essentiellement contre les Anglais. Longtemps négligé, le fort est en cours de restauration et on y organise des concerts de jazz (entre autres événements culturels) en été. Pour vous y rendre, tournez dans la D2/E9 à Vieux-Cussac.

La coopérative de Cussac-Fort-Médoc répond au nom très aristocratique des « Chevaliers du Roi-Soleil ». C'est la plus petite coopérative du Médoc, avec seulement vingt membres, mais on y élabore des vins très corrects. Mais le plus impressionnant est le fort du Roy qui s'élève le long de la D2.

Médoc du centre

-----------------	Limite du canton
───────────	Limite de la commune
CHÂTEAU	Cru classé
Château	Cru bourgeois
▢	Vignoble du cru classé
▢	Autres vignobles
▢	Bois
═══ 50 ═══	Courbe de niveau, intervalle 10 mètres
▬▬▬	Route du vin

Ci-contre et en bas à droite :
*Témoignages du passé historique
de Lamarque : une vieille inscription
sur un mur et le château de Lamarque,
une forteresse médiévale.*

CUSSAC-FORT-MÉDOC

VITICULTEURS RECOMMANDÉS
Château Beaumont
Cru bourgeois
Tél. 56 58 92 29, fax 56 58 90 94
Vin élégant, avec une légère note
de cassis et de chêne. La plantation
de nouveaux vignobles lui apporterait
plus de profondeur.
Château Lachesnaye
Tél. 56 58 97 46
Haut-médoc élégant mais ferme,
onctueux et bien équilibré. Même
propriétaire que le château Lanessan.
Château Lanessan
Cru bourgeois supérieur
Tél. 56 58 94 80, fax 56 58 93 10
L'un des meilleurs vins du Haut-Médoc,
d'une belle intensité, riche en tanin,
d'une grande aptitude au vieillissement.
Le château possède aussi un musée
hippomobile.
Château du Moulin Rouge
Cru bourgeois
Tél. 56 58 91 13
Vin charpenté, puissant.
Château Tour du Haut-Moulin
Cru bourgeois
Tél. 56 58 91 10
Un grand vin, riche en bouche, tannique,
d'une belle longueur. Les visiteurs sont
accueillis dans le petit château. Les caves
se trouvent sur la route du fort.

LAMARQUE

RESTAURANTS
Relais du Médoc
Tél. 56 58 92 27
Restaurant convivial, qui sert une bonne
cuisine régionale. Menus autour
de 100 F, ainsi qu'un *menu médocain*,
plus onéreux (vin compris). Quelques
chambres pour un prix inférieur
à 200 F.
L'Escale
Tél. 56 58 92 21
Près de l'embarcadère d'où part le bac
pour Blaye, il est simple, bon marché,
et propose surtout des fruits de mer.
Il abrite aussi un bar.

VITICULTEURS RECOMMANDÉS
Château du Cartillon
Cru bourgeois *Tél. 57 88 51 28*
Vin agréable, élégant, bien structuré.
Château de Lamarque
Cru bourgeois *Tél. 56 58 97 55*
Magnifique château parfaitement
entretenu. Les vins sont à son image :
très onctueux, veloutés mais de belle
fermeté. La réserve des marquis-d'Evry
est peut-être plus remarquable encore.

LAMARQUE

Le petit village de Lamarque doit sa réputation à l'eau et à son
vin. Un bac traverse la Gironde pour le relier à Blaye, et la commune doit incontestablement son excellente réputation vinicole
au château de Lamarque.

Ce château était à l'origine une forteresse, bâtie pour proté-
ger le pays des menaces d'invasion par l'estuaire de la Gironde.
Pour y parvenir, il faut emprunter une allée bordée d'arbres. Les
caves et la chapelle datent des XIe et XIIe siècles et le corps de
bâtiment du XIVe siècle. À l'intérieur, vous pourrez notamment
admirer les portraits et les meubles anciens du gigantesque hall
d'entrée. La cour intérieure est également très belle. Henri IV
et le duc de Gloucester, entre autres personnages célèbres,
séjournèrent dans ce château, aujourd'hui figure de proue de
cette petite commune viticole.

Du petit port du village, la vue sur le fleuve et la rive droite
de la Gironde est magnifique.

Sur la route qui mène à Arcins, on passe devant le château
Maucaillou abritant un très intéressant musée de la Vigne et du
Vin. Toutes les étapes de la viticulture et de la vinification sont
présentées, ainsi qu'un très ingénieux « laboratoire des odeurs »,
permettant de sentir les différents bouquets.

ARCINS

Bien que minuscule, ce village mérite que l'on s'y arrête,
notamment pour ses châteaux et son charmant restaurant, le
Lion d'Or. Arcins est situé en dehors de l'aire d'appellation mar-

gaux, sur la D2. Mais si les vins ont reçu l'appellation haut-médoc, ils ressemblent bien davantage à des margaux.

Des événements dramatiques ont marqué la région. Ainsi, alors que le château d'Arcins produisait annuellement 140 000 litres de vin en 1850, l'arrivée du phylloxéra provoqua de tels dégâts que la production baissa de manière spectaculaire. De nombreuses propriétés furent ruinées. Il y a encore une ving-taine d'années, il ne restait plus un seul vignoble, ou presque. Heureusement, il redevint à la mode d'investir dans cette région « désertique ». Les châteaux Arnauld et d'Arcins sont deux bons exemples de ce renouveau. Entièrement modernisées, ces deux propriétés sont ouvertes aux visiteurs.

MOULIS-EN-MÉDOC
Pour vous rendre à Moulis, tournez à droite dans Arcins, au panneau indiquant le château Chasse-Spleen. Cette route vous mènera au célèbre plateau de Poujeaux. Bifurquez ensuite à gauche, en direction de Grand Poujeaux.

C'est la plus petite de toutes les appellations communales du Médoc. La viticulture y fut pratiquée dès le Moyen Âge à titre purement ecclésiastique. Second centre religieux de la région, après Bordeaux, avec quatre prieurés et trente-quatre paroisses, Moulis était en effet un important fournisseur en vin de messe. De fait, on raconte qu'un pape commandita la construction de deux églises identiques, l'une à Rome, l'autre à Moulis. Celle qui serait ache-vée la première deviendrait le siège de la chré-tienté. Moulis n'avait aucune chance de l'em-porter mais il reste une magnifique église romane ornée, à l'intérieur comme à l'extérieur, de remarquables sculptures.

On utilise les noms de moulis et de moulis-en-médoc pour désigner l'appellation, bien que la première soit plus courante. Le vignoble couvre 550 hectares, avec le plateau graveleux de Pou-jeaux à l'est, les sols argilo-calcaires au nord-ouest.

Château Malescasse
Cru bourgeois
Tél. 56 58 90 09, fax 56 58 97 89
Mérite la visite.

ARCINS

RESTAURANT
Le Lion d'Or 🍽
Tél. 56 58 96 79
C'est l'une des meilleures tables du Médoc, jouissant d'une réputation inter-nationale. Outre le menu classique, le chef et propriétaire M. Berrier propose toujours le menu familial, à midi, autour de 100 F. Les plats du jour sont indiqués sur une pancarte à l'extérieur. Ses vins sont excellents. Il est conseillé de réser-ver car le nombre de couverts est limité.

VITICULTEURS RECOMMANDÉS 🍇

Château d'Arcins
Tél. 56 58 91 29, fax 57 88 50 26
La propriété est passée de 10 à 90 hectares en 15 ans.

Château Arnauld
Cru bourgeois
Tél. 57 88 50 34, fax 57 88 50 35
Un vin élégant, charnu mais qui reste souple.

Château Tramont
Un bon vin, bien fait dans une petite propriété.

MOULIS-EN-MÉDOC

HÔTELS 🔑
CASTELNAU-DE-MÉDOC
Hôtel-restaurant des Landes
Tél. 56 58 73 80, fax 56 58 11 59
Simple hôtel de village qui sert une bonne cuisine et où séjournent les acheteurs de vins. Prix des chambres à partir de 200 F, les premiers menus autour de 100 F.
Château Biston
Tél. 56 58 22 86, fax 56 58 13 16
Propose de bonnes chambres d'hôtes à environ 300 F. Il est ouvert de mars à novembre.

Moulis ne compte aucun grand cru classé, mais certains de ses vins – notamment les châteaux Chasse-Spleen, Gressier Grand-Poujeaux, Poujeaux et Maucaillou –, peuvent largement rivaliser avec les plus grands bordeaux. Leurs prix sont d'ailleurs généralement plus élevés que ceux des vins du reste de la commune.

Après la classification de 1855, on s'attendait à ce que les vins de Moulis soient progressivement promus au rang de crus classés. En 1866, Bigeat, un avocat de la région, écrivait que leur classification n'était plus qu'une question de temps. Comment aurait-il pu prévoir que les choses n'aient pas changé depuis ?

LISTRAC-MÉDOC

Listrac-Médoc, situé sur la N215 (comme Moulis) ne possède pas de grand cru classé, mais une appellation communale. La commune est célèbre pour ses châteaux et pour sa coopérative, la cave de vinification de Listrac-Médoc. Celle-ci commença en effet, en 1935, comme cuverie d'une capacité de 5 000 hectolitres – un chiffre énorme pour l'époque –, pour atteindre aujourd'hui les 30 000 hectolitres. Un beau succès qui s'explique par le fait qu'à partir de 1948, la SNCF devint un de ses plus prestigieux clients.

La commune compte trois croupes graveleuses, à Fonréaud, Fourcas et Listrac. Cette dernière atteint 43 mètres, le record d'altitude pour le Médoc – une tour d'incendie y est même perchée. Le sous-sol de Listrac est composé de couches argilo-calcaires et cailouteuses. Pendant des années, l'encépagement

VITICULTEURS RECOMMANDÉS

Château Biston-Brillette
Cru bourgeois
Tél. 56 58 22 86, fax 56 58 13 16
Vin riche en arômes, charnu, qui peut se boire jeune, mais suffisamment tannique pour être attendu.

Château Branas Grand-Poujeaux
Tél. 56 58 03 07
Vin élégant, bien structuré.

Château Chasse-Spleen
Cru bourgeois
Tél. 56 58 02 37, fax 56 58 05 70
Vin d'une régularité exceptionnelle, même dans les moins bonnes années. D'une belle fermeté, aux arômes de fruits et de chêne. Non filtré. Un magistral moulis.

Château Maucaillou
Cru bourgeois
Tél. 56 58 01 23, fax 56 58 00 88
Vin vif, doué de souplesse et de grâce. D'une belle teinte, il développe un bouquet élégant, une délicatesse en bouche et une belle vigueur tannique. Le château possède un magnifique musée des Arts et Métiers de la vigne et du vin.

Château Moulin-à-Vent
Cru bourgeois
Tél. 56 58 15 79, fax 56 58 12 05
Rond en bouche, structuré, avec des arômes de fruits mûrs. L'un des grands noms de Moulis. Située à côté de la N215, la propriété abrite une cave impressionnante contenant 1 200 barriques.

Château Poujeaux
Cru bourgeois
Tél. 56 58 02 96, fax 56 58 01 25
En bouche, il dévoile lentement sa saveur pourtant caractéristique de médoc. Tannique, élégant et fruité.

fut dominé par le merlot, mais le cabernet-sauvignon atteint aujourd'hui un pourcentage de 50 % dans de nombreuses propriétés. D'où une finesse des vins nettement accrue. Il y a peu encore, les listracs avaient la réputation de vins astringents, raides, dénués de charme. La production s'est depuis améliorée, mais ils ont néanmoins conservé leur rudesse, leur structure affirmée. Château Fonréaud produit maintenant un agréable vin blanc, la seule propriété de Listrac à le faire.

Le village est construit autour d'une charmante petite église du XIIe siècle flanquée d'une flèche étonnante. Le nom de Listrac fut transformé en Listrac-Médoc, en 1986, pour éviter toute confusion avec Lirac, dans la vallée du Rhône.

LISTRAC-MÉDOC

HÔTEL

Château Cap Léon-Veyrin
Tél. 56 58 07 28, fax 56 58 07 50
Cette propriété vinicole propose des chambres et des tables d'hôtes. Il est indispensable de réserver.
Prix des chambres à partir de 280 F.

RESTAURANT

Rose Sainte-Croix
Tél. 56 58 08 68
Simple petit restaurant dirigé par une famille de viticulteurs proposant des spécialités régionales. Premier menu autour de 100 F. Quelques chambres d'hôtes.

VITICULTEURS RECOMMANDÉS

Château Bellegrave
Tél. 56 58 02 40
Visites sur rendez-vous.
Château Cap Léon-Veyrin
Tél. 56 58 07 28, fax 56 58 07 50
Visites sur rendez-vous.
Château Clarke
Tél. 56 58 38 00
Création du baron Édmond de Rothschild.
Château Fonréaud
Cru bourgeois
Tél. 56 58 02 43, fax 56 58 04 33
Exposition d'anciens outils de la vigne.
Château Fourcas-Dupré
Cru bourgeois
Tél. 56 58 01 07, fax 56 58 02 27
Château Fourcas-Hosten
Cru bourgeois
Tél. 56 58 01 15, fax 56 58 06 73
Moulin de Laborde (château Fourcas-Loubaney)
(Listrac-Médoc) *Tél. 56 58 03 83*
Visites sur rendez-vous.
Château Lestage et Caroline
Cru bourgeois
Tél. 56 58 02 43
Visites sur rendez-vous.
Château Mayne-Lalande
Tél. 56 58 27 63, fax 56 58 22 41
Chais modernes et agréables.
Château Peyredon-Lagravette
Cru bourgeois
Tél. 56 58 05 55
Ouvert tous les jours, sauf le dimanche.

En haut : *Les vendangeurs se rendant dans les vignobles. Dans le Médoc, les vendanges ont généralement lieu en septembre.*
Ci-contre : *Le plus vaste domaine de Moulis, le château Mauvesin, fut construit en 1853 par la famille Le Blanc, qui en était propriétaire depuis le milieu du XVIIe siècle.*

MARGAUX

En partant de Moulis, vous pouvez vous rendre à Margaux soit en empruntant la D105, soit en rejoignant la D2 à Arcins, et suivre l'itinéraire qui sillonne à travers les vignobles. Entre Margaux et Moulis s'étend le petit village d'Avensan. Il appartient au Haut-Médoc, mais on y produit des vins qui rappellent les margaux. Vous pourrez aussi admirer, en chemin, les deux magnifiques châteaux de Citran et de Villegeorge.

L'appellation margaux regroupe 1 250 hectares de vignobles qui couvrent quatre communes : Margaux, Soussans, Cantenac et Arsac. Les vignobles sont passablement disséminés sans pour autant inclure ceux plantés au milieu de la Gironde (en face de Margaux, on peut notamment apercevoir plusieurs îles qui possèdent quelques arpents de vignes). Ils ne font pas partie de l'appellation et leurs vins sont classés comme bordeaux et bordeaux supérieur.

La classification de 1855 lui reconnut 21 grands crus – plus que pour toutes les autres appellations du Médoc. Fait

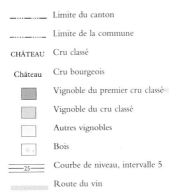

Ci-dessus : *Les vignes à l'entrée du château d'Issan, dans la commune de Cantenac (Margaux). Les vignobles sont implantés sur des croupes graveleuses.*

Margaux

.... Limite du canton

---------- Limite de la commune

CHÂTEAU   Cru classé

Château   Cru bourgeois

▨   Vignoble du premier cru classé

▨   Vignoble du cru classé

▢   Autres vignobles

▢   Bois

═25═   Courbe de niveau, intervalle 5

▭   Route du vin

Domaine de l'Ile
Margaux

ILE DE MACAU

la Gironde

Port d'Issan

D105

Château
Pontac-Lynch

CHÂTEAU
D'ISSAN

Château
Vincent

D2

CHÂTEAU
URÉ-LICHINE

CHÂTEAU
KIRWAN

Cantenac

Grange Neuve

le Mail

ILE DES VACHES

Jean Faure

CHÂTEAU
DESMIRAIL

CHÂTEAU
BOYD-CANTENAC
CHÂTEAU POUGET

D2

Château
Siran

Pont de Labarde

la Bastide

D209

Gassion

CHÂTEAU
DAUZAC

Château
d'Angludet

Labarde

la Métairie

Château Terrefort

Larrieu Terrefort

LABARDE

Château
Gironville

Ferme Suzanne

Macau

CHÂTEAU
GISCOURS

Pied
de Port

D2

Château
Cantelaude

Bern

10

16

Clos de May

les Trois Moulins

MACAU

Maucamps

Château
Maucamps

Château Cambon
la-Pelouse

D211

Cambon-la-
Pelouse

D210

Ch. Priban

12

CHÂTEAU
CANTEMERLE

Château Guittot
Fellonneau

Ch. la Houringue

21

Labric

Lafont

Fronton

Gasteau

Coutrille

les Carrayes

Château de
Gironville

16

Château
d'Arche

Paloumey

Ludon-
Médoc

D2

CHÂTEAU
LA LAGUNE

Feydieu

les Lauriers

Bouscarrut

D210

10

13

LE PIAN-MÉDOC

le Petit
Feydieu

LUDON-MÉDOC

5

la Taste

le Pian-
Médoc

Peyquem

Ch. Lafitte
Cante Loup.

Ch. Ludon
Pommiès-Agassac

9

Château
de Malleret

24

Haras

Château
d'Agassac

Bordeaux

1:42,000

Km. 0   1   2 Km.

Miles 0   1 Mile

N

À droite : *Une des tours du château Cantemerle, dans la commune de Macau (Margaux). Propriété classée cinquième cru, elle produit des vins exemplaires depuis son changement de propriétaire en 1980.*

MARGAUX

RESTAURANTS

Auberge de Savoie
Tél. et fax 57 88 31 76
Restaurant familial réputé pour son excellent rapport qualité/prix. Le décor est traditionnel et l'atmosphère agréable. La gastronomie est régionale mais la présentation moderne. La *quiche au foie de canard et au jus de truffe* est un délice. Menus fixes.

Relais de Margaux
Tél. 57 88 38 30, fax 57 88 31 73
Ne vous laissez pas impressionner par le décor luxueux, on y mange excellemment pour un prix raisonnable – parfois en compagnie des propriétaires du château. Brunch en musique (jazz) les dimanches d'été. Chambres luxueuses à partir de 750 F. Le propriétaire est japonais.

VITICULTEURS RECOMMANDÉS

AVENSAN

Château Citran
Cru bourgeois
Tél. 56 58 21 01
Un riche et harmonieux haut-médoc, avec une longue finale complexe et fruitée.

Château de Villegeorge
Cru bourgeois
Tél. 57 88 70 20
Vin ample, d'une teinte très soutenue, aux belles notes fruitées et long en bouche. Mérite de vieillir.

MARGAUX

Château Margaux
Grand cru classé (1er)
Tél. 57 88 70 28
Le château le plus impressionnant du Médoc, avec son allée bordée d'arbres menant au gigantesque domaine. Un des meilleurs vins du monde, très épanoui, merveilleusement complexe et d'une belle et longue finale. La seconde étiquette, le pavillon-rouge, mérite attention, tout comme le pavillon-blanc.

Château La Gurgue
Cru bourgeois
Tél. 57 88 76 65
Revitalisé par Bernadette Villars, c'est un vin légèrement épicé, fruité, avec une note de chêne.

Château Larruau
Tél. 57 88 35 50
Petite propriété sérieuse. Vin charmeur, bien bouqueté, tannique.

unique, les cinq classements sont représentés à Margaux. Une telle excellence s'explique en partie par la présence de terrains graveleux. Le terroir y est plus pauvre que dans les autres communes vinicoles, mais les sols pauvres sont généreux et donnent les meilleurs vins. La couche arable y est plus mince que partout ailleurs dans le Médoc, le taux graveleux le plus élevé, le micro-climat le plus chaud, et la production à l'hectare la plus basse. Finesse, distinction, élégance et souplesse sont généralement les termes utilisés pour décrire les vins de Margaux. Il faut aussi faire preuve de patience pour pouvoir en apprécier toute la richesse : la règle veut qu'on leur accorde au moins sept ans de garde pour qu'ils atteignent leur plénitude. Certains crus, plus solides, plus charpentés, exigent même d'être attendus plus longtemps encore. Ils proviennent essentiellement des vignobles situés à l'ouest, où le sol est plus argileux.

Soussans est le village le plus septentrional de l'appellation margaux. Un peu excentré, se dresse le château La Tour de Mons, une propriété qui garde fière allure, avec ses tours, sa chapelle et ses étables moyenâgeuses, aujourd'hui transformées en caves pour les bouteilles. Le domaine fut en partie détruit par un incendie en 1895.

Margaux se profile de l'autre côté de la route. De toutes les appellations du Médoc, c'est l'une des plus célèbres. Une notoriété à laquelle la présence du château Margaux n'est pas étrangère. Véritable monument, en parfait état de conservation, il fut érigé en 1815. C'est dans ses chais, en partie souterrains – ce qui est inhabituel dans le Médoc –, que mûrit ce sublime premier grand cru. Tout à côté de l'allée qui mène au château se dresse l'église de Margaux, datant du XVIIIᵉ siècle.

La D2 dessine un brusque virage, sur la gauche, en pénétrant au centre du village. Au bout de la rue, on aperçoit la Maison du vin, qui vous fournira toutes les informations nécessaires sur l'appellation. On y vend aussi un large assortiment de vins. Chez Sprengnether, le pâtissier local, vous pourrez acheter les célèbres *sarments du Médoc*, des petits sarments de vigne en chocolat. Près du passage à niveau, sur la route d'Arsac, se profile une petite usine qui fabrique des caisses pour les bouteilles, dont les couvercles sont très recherchés par les collectionneurs.

Lorsque l'on quitte Margaux par la D2, vers le sud, Cantenac est le premier bourg rencontré. Il abrite notamment une belle église du XVIIIᵉ siècle flanquée d'une tour octogonale, dont

Château Lascombes
Grand cru classé (2ᵉ)
Tél. 56 88 70 66, fax 57 88 72 17
Propriété parfaitement gérée (l'une des plus vastes du Médoc), dotée d'un château néo-gothique. Vin ferme : un élégant margaux qui se développe bien en bouteille.

Château Malescot Saint-Exupéry
Grand cru classé (3ᵉ)
Tél. 57 88 70 68, fax 57 88 35 80
Demeure confortable, datant de 1885. Vignobles disséminés pour une part à Soussans. Vin de belle robe, ample, boisé et raffiné. Doit être attendu.

Château Marquis d'Alesme-Becker
Grand cru classé (3ᵉ)
Tél. 57 88 70 27, fax 57 88 73 78
Vin à la fois élégant et généreux, d'une belle souplesse tannique.

Château Marquis de Terme
Grand cru classé (4ᵉ)
Tél. 57 88 30 01, fax 57 88 32 51
Durant les années quatre-vingt, de gros investissements ont été faits dans l'équipement, les chais et les salles de réception. Vin d'une solide structure, d'un rouge sombre, fruité et tannique.

Château Rausan-Ségla
Grand cru classé (2ᵉ)
Tél. 57 88 82 10, fax 57 88 34 54
L'un des plus vieux domaines de la région. Ses vignobles datent de 1661. Depuis les années quatre-vingt, un vin remarqué.

SOUSSANS
Château Labégorce
Cru bourgeois
Tél. 57 88 71 32, fax 57 88 35 01
Récemment rénové. Résultat : un vin attrayant, bien fruité, plutôt gras.

Château Labégorce-Zédé
Tél. 56 88 71 31, fax 57 88 72 54
Vin de caractère, fermement structuré, équilibré.

En haut : *Le paisible village de Margaux.*
À gauche : *Une statue dans les jardins du château Prieuré-Lichine.*

Château Tayac
Cru bourgeois
Tél. 57 88 33 06
Vin plaisant, aux bons arômes fruités.

Château La Tour de Bessan
Tél. 57 88 70 20, fax 57 88 72 51
Vin élégant sans être réellement raffiné.
Très fort pourcentage de cabernet-
sauvignon (rare pour les margaux).

Château La Tour de Mons
Cru bourgeois
Tél. 57 88 33 03, fax 57 88 32 46
Propriété remontant en partie au
XIIIᵉ siècle. De robe profonde, fruité,
tannique, à la finale complexe, c'est un
vin quasi inabordable quand il est jeune,
mais qui se développe bien en bouteille.

CANTENAC
Château d'Angludet
Cru bourgeois
Tél. 57 88 71 41, fax 57 88 72 52
Vin plaisant, doté d'arômes et de saveurs
riches et complexes.

Château Brane-Cantenac
Grand cru classé (2ᵉ)
Tél. 57 88 70 20, fax 57 88 72 51
Cette propriété située sur le plateau
de Cantenac a largement profité
de la gestion dynamique des Lurton.
Vin de qualités diverses selon
les millésimes, mais fruité et élégant.
De longue garde.

Château Cantenac-Brown
Grand cru classé (3ᵉ)
Tél. 57 88 30 07, fax 57 88 74 25
Bâtiment imposant. Vin puissant,
bien équilibré.

Château Desmirail
Grand cru classé (3ᵉ)
Tél. 57 88 34 33, fax 57 88 72 51
Les propriétaires de Brane-Cantenac
sont à l'origine de la réapparition sur
le marché de ce vin d'une grande finesse.

Château d'Issan
Grand cru classé (3ᵉ)
Tél. 57 88 35 91, fax 57 88 74 24
Château du XVIIᵉ siècle avec des douves,
l'un des plus beaux du Médoc.
Vin élégant qui révèle des arômes de
fruits rouges et des tanins souples.

l'intérieur mérite un coup d'œil. Le château Prieuré-Lichine (l'ancien prieuré jouxtant l'église, en partie transformé en propriété vinicole) possède une salle de dégustation ouverte aux visiteurs, sans interruption, tous les jours de l'année. On peut aussi y assister à la projection d'une vidéo sur la viticulture et, pour conclure en beauté ce tour du propriétaire, on vous offrira une dégustation. Plusieurs autres châteaux sont disséminés autour de Cantenac, notamment Issan, avec ses douves impressionnantes. La commune compte une boutique de vin, mais les prix pratiqués y sont sensiblement les mêmes que partout ailleurs.

À l'est du village, le plateau graveleux de Cantenac mène aux basses terrasses d'alluvions, ou palus. Un peu plus loin, appartenant à l'appellation margaux, on atteint le petit bourg de Labarde, au croisement de la D209 et de la D2, à proximité du passage à niveau. Vous pourrez y admirer une église du XVIIIᵉ siècle et son autel en bois sculpté. À l'extérieur, se dresse le château Giscours, qui fait dans le gigantisme. On y vient non seulement pour déguster ses vins mais aussi pour son club de polo. Les visiteurs peuvent assister aux matches, tous les week-ends de septembre.

À l'ouest de Cantenac, une petite route serpente au milieu des vignobles et des bois, avant

Château Kirwan
Grand cru classé (3e)
Tél. 57 88 71 00, fax 56 44 56 39
Magnifique demeure du XVIIIe siècle, dotée d'une floraison remarquable en été. Vin élégant qui gagne à vieillir.

Château Palmer
Grand cru classé (3e)
Tél. 57 88 72 72, fax 57 88 37 16
Château de carte postale avec ses quatre tourelles. L'un des meilleurs vins du Médoc, qui allie souplesse, grand raffinement et parfait équilibre.

Château Prieuré-Lichine
Grand cru classé (4e)
Tél. 57 88 36 28, fax 57 88 78 93
C'est sans doute le plus accueillant des châteaux du Médoc. Cet ancien prieuré produit un vin équilibré, élégant, modérément tannique. Gagne en richesse et en corps, dans les bons millésimes.

ARSAC

Château d'Arsac
Tél. 56 58 83 90, fax 56 58 83 08
Propriété accueillante, dynamique et moderne, aux chais d'un bleu vif. Expositions artistiques.

Château Ligondras
Tél. 56 58 80 98, fax 56 58 85 75
Vin robuste, d'une robe sombre, très fiable.

Château Monbrison
Cru bourgeois
Tél. 56 58 80 04, fax 56 58 85 33
Vin exceptionnel, au bouquet marqué, au palais rond, et à la belle finale persistante.

Château du Tertre
Grand cru classé (5e)
Tél. 56 59 30 08
Édifice entièrement restauré juché sur une petite colline. Un excellent et élégant margaux.

LABARDE

Château Dauzac
Grand cru classé (5e)
Tél. 57 88 32 10, fax 57 88 96 00
La rénovation de la propriété est en partie responsable de ce vin bouqueté, d'une finale élégante et complexe.

Château Giscours
Grand cru classé (3e)
Tél. 57 97 09 09, fax 57 97 09 00
Gigantesque château et chais dans un beau parc. Vin régulier, d'une belle robe, à la saveur intense et au tanin persistant.

de rejoindre le minuscule village d'Arsac, le plus au sud du canton de Margaux. Perché sur une petite colline, le château du Tertre (cinquième cru classé) domine le village. Le château d'Arsac, qui se dresse au milieu d'un très beau parc, possède la façade la plus originale de tout le Médoc : les encadrements de portes et de fenêtres sont peints en un lumineux bleu pâle ! Les installations vinicoles y sont très modernes, et dans la salle réservée aux visiteurs sont régulièrement organisées des expositions d'art moderne (ouvert tous les jours).

En haut : Les méthodes de fertilisation et de pulvérisation d'insecticides dans les vignobles sont appliquées avec discernement, en utilisant les produits les plus naturels possibles.
Ci-contre : L'imposant château d'Issan (troisième cru), entouré de douves, l'un des sites les plus spectaculaires du Médoc.
Page de gauche : Le château Margaux (premier cru), un magnifique domaine.

Château Siran
Cru bourgois
Tél. 57 88 34 04, fax 57 88 70 05
Vin venant à maturité dans un caveau
anti-atomique, rond, fin et racé.

MACAU

🍽 RESTAURANTS

Chez Quinquin
Tél. 57 88 45 89
Sur une terrasse en bordure
de la Gironde, on peut manger
pour un prix modéré de bonnes
spécialités de poisson.
La Guinguette
Tél. 56 30 08 12
À proximité du précédent, elle propose
des fruits de mer. Déjeuner dominical
pour 130 F environ.

🍇 VITICULTEURS RECOMMANDÉS

Château Cambon La Pelouse
Cru bourgeois
Tél. 57 88 40 32
Vin agréable, long en bouche, à attendre
deux ans environ.
Château Cantermerle
Grand cru classé (5e)
Tél. 57 97 02 82
Château de conte de fées environné
d'un romantique parc boisé. Depuis
les années quatre-vingt, vin excellent,
concentré, complexe, riche en tanin.

Château Lescalle
Bordeaux supérieur. *Tél. 57 88 16 31*
Rond en bouche, avec une saveur
de myrtille et modérément tannique.
Gagne à vieillir.
Château Maucamps
Cru bourgeois
Tél. 57 88 07 64, fax 57 88 07 00
Très bon vin de réputation grandissante,
élégant et pur.

LUDON-MÉDOC

🔑 HÔTEL

Madame Marguerite de Saint-Paul,
offre des chambres d'hôtes à moins
de 200 F. (57 88 46 17).

MACAU
En quittant Labarde, on peut
emprunter la D209 ou la D2
pour rejoindre Macau. Ce village
de quelque 2 600 habitants abrite
aussi une église romane, remaniée au siècle dernier, flanquée
d'un superbe clocher fortifié.
Pour le reste, l'endroit n'est
guère touristique. Dans les environs immédiats, en revanche,
quelques châteaux méritent un
petit détour. Le premier, qui se
profile sur la D2, le château Cantemerle (cinquième cru
classé) est un manoir du XVIe siècle délicatement enclos dans
un parc forestier, où s'étend un petit lac et où coulent des
canaux. À la sortie du village, près de la route de Ludon, vous
remarquerez le château Maucamps, une vaste propriété de
près de 60 hectares, dont 15 hectares de vignobles. Il produit
un vin haut-médoc dont la qualité, semble-t-il, ne cesse de
s'améliorer depuis 1981 : il a remporté de nombreuses
médailles à divers concours vinicoles.
Le petit port du village sur la Gironde mérite le détour,
même si en fait de port, il ne reste plus qu'une agréable guinguette avec un petit jardin, idéale pour se reposer quelques
heures, en particulier pendant la période estivale, pour y déjeu-

ner et se régaler de poissons tout frais. Du port, une route longe le quai d'embarquement, vers le sud. Les vignobles que l'on aperçoit sur la droite comptent, entre autres, le château Lescalle, qui appartient au propriétaire du château Maucamps et qui produit un bordeaux supérieur.

LUDON-MÉDOC

Quelques kilomètres seulement séparent Macau du petit bourg paisible de Ludon, situé un peu plus au sud, dont l'église mêle avec bonheur différents styles. Au château d'Arche, vous pourrez admirer un bel ensemble d'anciens outils de la vigne. Au village de Ludon, on pourra assister à la fabrication des barriques. À proximité de la D2, à la sortie de Ludon, on découvre le château La Lagune, le plus au sud des grands crus classés du Médoc. Cette ancienne chartreuse date de 1730. Parallèle à la D2, la route mène au château d'Agassac, le site le plus intéressant de Ludon. Il fut érigé (XIVᵉ-XVIᵉ siècle) sur les fondations d'une ancienne forteresse médiévale. Le seigneur d'Agassac, un homme fort dépensier, fut même impliqué dans un scandale : un matin, le corps d'un de ses serviteurs fut retrouvé noyé dans les douves du château. Le seigneur fut tenu responsable de sa mort mais l'affaire fut étouffée. On ne connut jamais les causes de cette mystérieuse disparition. Au XVIᵉ siècle, le château devint la propriété des Pomiès, une famille qui s'illustra dans la politique. Aujourd'hui, la famille Capbern-Casqueton en est propriétaire.

Ci-dessus : *La forêt des Landes, près du lac de Lacanau, à l'ouest du Médoc.*
Au centre : Le Lion d'Or, *à Arcins, est l'un des restaurants les plus fréquentés du Médoc.*
Page de gauche : *La fabrication de barriques, au village de Ludon, près de Margaux.*

RESTAURANT

Le Petit Bacalan
Tél. 57 88 12 11
Cuisine familiale, servie dans un cadre sans prétention à des prix raisonnables.

VITICULTEURS RECOMMANDÉS

Château d'Agassac
Cru bourgeois
Tél. 57 88 44 44
Vin élégant, concentré, épanoui, avec une finale tannique.

Château Lafite-Canteloup
Tél. 56 35 05 36
Vin agréable, qui peut se boire deux ans après sa vinification.

Château La Lagune
Grand cru classé (3ᵉ)
Tél. 57 88 44 07, fax 57 88 05 37
Ancienne chartreuse datant de 1730. Vin fiable, ferme, bien équilibré, avec une note de vanille des nouvelles barriques.

EXTRÉMITÉ SUD DU HAUT-MÉDOC

VITICULTEURS RECOMMANDÉS

Château Clément-Pichon
Cru bourgeois
Tél. 56 35 53 00
Depuis 1977, après avoir été abandonné pendant près de 60 ans, le domaine produit avec un grand succès un haut-médoc de bonne qualité avec une note de bois jeune.

Château Dillon
Cru bourgeois
Tél. 56 35 56 35, fax 56 35 56 00
Ce château abrite le lycée viticole de Blanquefort. Vin léger, facile à boire, doté de toutes les caractéristiques d'un authentique haut-médoc.

Ci-dessus : *Contrastant avec la magnificence des châteaux bordelais, une maison de village du Haut-Médoc.*
Ci-dessous : *L'abbaye de La Réole (Entre-Deux-Mers).*

EXTRÉMITÉ SUD DU HAUT-MÉDOC

Lorsque l'on se dirige vers le sud en quittant Ludon, on arrive au bout de la route des vins du Médoc. Sur le trajet, Parempuyre (à l'est de la D2) mérite une visite avec sa belle église du XIXe siècle ornée de peintures de la même époque. Il abrite aussi l'une des plus grandes sociétés bordelaises, le Consortium vinicole de Bordeaux et de la Gironde (CVBG), qui appartient au groupe hollandais Bols-Wessanen. À côté, on aperçoit l'entrée du château Clément-Pichon, entièrement rénové.

La route coupe à travers le vignoble avant d'arriver à Blanquefort qui, comme presque toutes les bourgades des alentours de Bordeaux, consiste en un mélange hétéroclite de styles architecturaux. Selon la légende, le château local est toujours protégé par le fantôme du Prince Noir – le prince de Galles, Édouard de Woodstock, vainqueur de Du Guesclin. La ville compte un lycée viticole, qui administre la propriété du château Dillon. Dans le très beau chai sont exposées en permanence vingt-neuf barriques, une œuvre du sculpteur Erik Dietmann offerte au lycée par le ministère de la Culture. Ces barriques représentent les « gardiens du bon vin ».

Ci-dessus : *Le petit port de plaisance
à Hourtin. La côte se trouve
à seulement quelques kilomètres
des vignobles bordelais.*
À gauche : *Un étal de melons dans
l'un des marchés locaux. Le melon
se déguste frais, accompagné d'un verre
de sauternes jeune ou d'un barsac.*

Château Magnol
Cru bourgeois
Appartient à l'importante société
vinicole, Barton et Guestier.
Elle produit un éminent haut-médoc,
puissant et ample.
Château du Taillan
Cru bourgeois
Il comporte un parc splendide
et des caves historiques. Un pur médoc.

De Blanquefort, on peut ensuite choisir de prolonger la promenade et de faire un petit détour par Le Taillan, à l'ouest, et
visiter le magnifique château du Taillan. On y produit un haut-
médoc rouge, mais également un bordeaux blanc, le château-
la-dame-blanche. Les vins blancs sont habituellement rares en
Médoc, mais récemment, de plus en plus de viticulteurs ont
ajouté des cépages blancs à leur vignoble.

Graves et Sauternes

La région qui s'étend au sud de Bordeaux est divisée en plusieurs vignobles réputés, dont ceux de Pessac-Léognan, Graves et Sauternes, pour ne citer que trois d'entre eux. On y élève des vins très différents. Le vignoble des Graves produit à la fois des vins rouges et des vins blancs. La petite enclave du Sauternais, sur la rive gauche de la Garonne, élabore uniquement des blancs, secs, mi-doux ou moelleux. Les cépages cabernet-sauvignon, cabernet-franc et merlot sont utilisés pour les rouges, le sauvignon, le sémillon, tandis que la muscadelle s'emploie pour les blancs.

En dehors des graves supérieurs et autres vins de bonne qualité, la région élabore aussi des rouges et des blancs exceptionnels, qui suscitent l'enthousiasme des amateurs. À Podensac, la Maison des vins des graves pourra vous fournir tous les renseignements nécessaires sur ces crus : la vinothèque est bien fournie, l'accueil est chaleureux et elle est ouverte toute l'année. La région compte une centaine de châteaux qui, hormis ceux du vignoble de Pessac-Léognan – pour lesquels il est indispensable de prendre rendez-vous –, sont ouverts aux visiteurs pratiquement tous les jours.

La région des Graves s'étend au sud-est de la ville de Langon et inclut les vignobles de Cérons, Sauternes et Barsac, qui possèdent leurs propres appellations. La campagne environnante, avec ses vignobles et ses sites, notamment le château de Montesquieu, situé dans les environs de Labrède, mérite une halte. Le secteur sauternais, avec ses nombreux châteaux, est tout aussi pittoresque. Des Graves, vous pourrez également profiter d'une belle vue sur les vignobles qui s'étendent sur la rive opposée de la Garonne.

À gauche : *Le château de La Brède où naquit et vécut Montesquieu. L'écrivain prit avec force la défense du vignoble bordelais et se montra un négociant habile, exportant ses vins en Angleterre et en Hollande.*

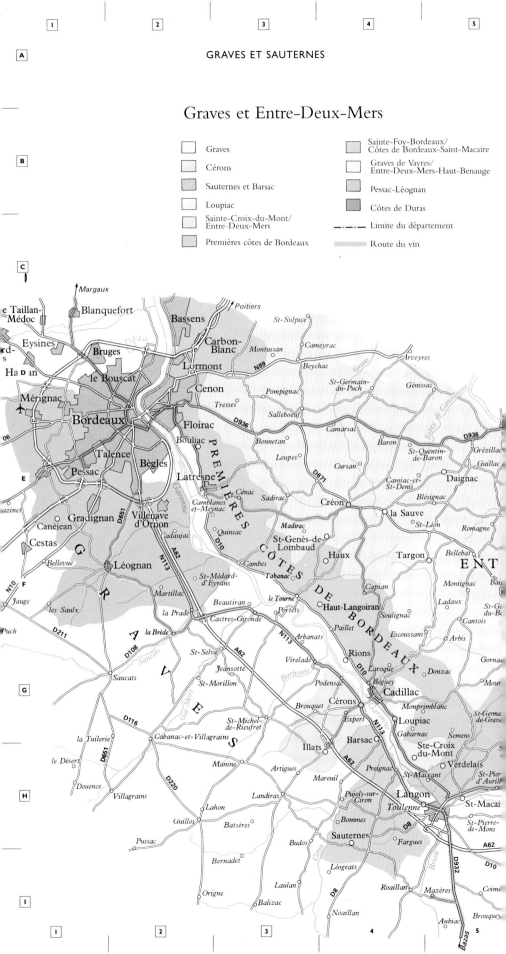

Graves et Entre-Deux-Mers

- Graves
- Cérons
- Sauternes et Barsac
- Loupiac
- Sainte-Croix-du-Mont/ Entre-Deux-Mers
- Premières côtes de Bordeaux
- Sainte-Foy-Bordeaux/ Côtes de Bordeaux-Saint-Macaire
- Graves de Vayres/ Entre-Deux-Mers-Haut-Benauge
- Pessac-Léognan
- Côtes de Duras
- Limite du département
- Route du vin

Graves

La périphérie sud

Si l'on pouvait remonter le temps et se transporter à Bordeaux au Moyen Âge, on découvrirait une ville fortifiée, aux activités essentiellement portuaires, en bordure de la Garonne. Au sud, plusieurs paroisses décrivaient un demi-cercle autour de la cité : Saint-Genès, Talence, Pessac et Bègles. Elles constituaient les « graves de Bordeaux » , le vignoble de la ville. À cette époque, le vin représentait déjà l'une des exportations majeures de la région.

Aujourd'hui, il est bien difficile de retrouver une trace quelconque du vin et des vignes au milieu des immeubles de bureaux. Bègles est surtout célèbre pour son équipe de rugby, et Talence pour son domaine universitaire, malgré la présence de sa faculté d'œnologie. La construction de l'aéroport de Mérignac a également entraîné la disparition de nombreux hectares de vignes : seul subsiste un minuscule vignoble au milieu du bitume et du béton.

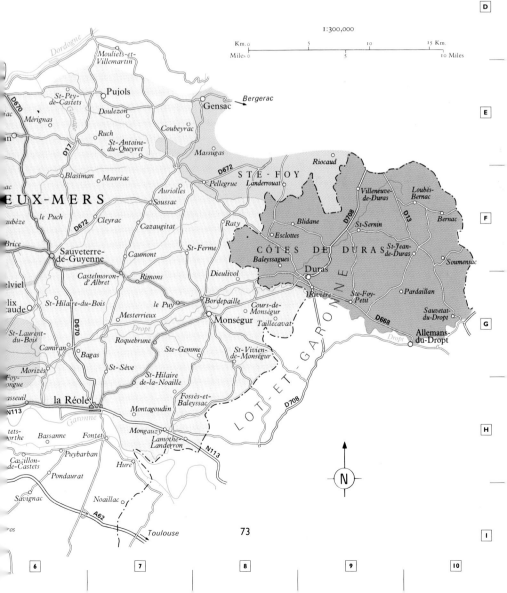

PESSAC-LÉOGNAN

 HÔTELS

La Réserve
74 avenue de Burgailh (Alouette)
Tél. 56 07 13 28, fax 56 36 31 02
Un havre de paix. Chambres luxueuses
à partir de 600 F. Piscine, courts
de tennis, cuisine traditionnelle
excellente : menus à partir de 160 F.
Royal Brianol
10, rue du Pin-Vert (Pessac)
Tél. 56 45 07 72
Chambres confortables à partir de 300 F.
Hôtel Guyenne
Rue François-Rabelais (Talence)
Tél. 56 84 48 68, fax 56 84 48 61
Excellent établissement qui appartient
à l'École hôtelière.

 RESTAURANTS
Les Chasseurs (Léognan)
Tél. 56 64 11 58, fax 56 64 05 05
Déjeuner à partir de 85 F.
La Forge (Léognan)
Tél. 56 64 11 58
Restauration rapide. À partir de 80 F.
Le Chalet Lyrique (Gradignan)
Tél. 56 89 11 59, fax 56 75 01 15
Chambres spacieuses et confortables,
à partir de 300 F. Le propriétaire était
autrefois boucher, d'où les spécialités
essentiellement carnées. Menus à partir
de 200 F.

VITICULTEURS RECOMMANDÉS
Château Bouscaut (Cadaujac)
Cru classé
Tél. 57 96 01 26, fax 57 96 01 27
Splendide domaine du XVIIIe siècle,
depuis 1980, propriété de Lucien Lurton.
Vin frais, aromatique, long en bouche.
Château Picque-Caillou (Mérignac)
Tél. 56 47 37 98, fax 56 47 17 72
Rouge lisse ; peut être bu jeune.
Château Haut-Brion (Pessac)
Grand cru classé (1er) (rouge)
Tél. 56 00 29 30 .
La seule propriété de Pessac incluse
dans la classification de 1855.   .
Ce château du XVIe siècle produit
un vin noble, velouté, d'un remarquable
équilibre et d'une très belle finale.
Vin de très longue garde.

PESSAC
La ville de Pessac illustre bien l'évolution survenue
après la Seconde Guerre mondiale : les châteaux
Haut-Brion, La Mission Haut-Brion, Les Carmes
Haut-Brion et Pape Clément, qui figurent parmi les
crus les plus réputés de la région, sont entourés
d'immeubles et autres constructions modernes. La
situation du château Les Carmes Haut-Brion est, à
cet égard, exemplaire. Un mur imposant délimite
en effet ce domaine de 17 hectares (et l'a sans doute
sauvé de l'expansion urbaine). De surcroît, les habitations
construites tout autour renforcent la protection des vignes,
créant ainsi un micro-climat plus chaud. Les raisins sont ainsi
les premiers à mûrir dans le périmètre de Pessac.
Le château Haut-Brion est le nom qui vient immédiatement à l'esprit lorsqu'on évoque Pessac. Son premier grand cru
a certainement inauguré les exportations de la région. En 1664,
Samuel Pepys, chroniqueur anglais et bon vivant, consignait
dans son journal qu'il avait bu un « Ho-Bryan, un vin d'un
nouveau style, et d'une saveur bien particulière » , au Royal
Oak, une taverne de Londres. En réalité, le haut-brion existait
déjà depuis plus d'un siècle. Son créateur, Jean de Pontac, avait
commencé dès 1530 à acheter des parcelles autour de sa maison noble et les avait progressivement rassemblées en vignoble.
Le château haut-brion est le seul graves à avoir été admis dans
la classification de 1855.
Le 7 août 1953 fut publié un premier classement semi-
officiel des vins de Graves, mais c'est seulement en 1987, le
9 septembre, que la partie nord de la région viticole des Graves
se vit attribuer sa propre appellation, pessac-léognan. Elle
regroupe les dix communes suivantes disséminées dans les
environs de Bordeaux : Cadaujac, Canéjan, Gradignan, Léognan,
Martillac, Mérignac, Pessac, Saint-Médard-d'Eyrans, Talence
et Villenave d'Ornon. Les plus importantes sont Léognan,
Martillac et Pessac.

LÉOGNAN

Pour se rendre de Pessac à Léognan, empruntez le périphérique, jusqu'à la sortie 18. Tournez immédiatement à droite, puis à gauche au premier embranchement. La D651 vous mènera tout droit à cette localité, l'une des dix communes qui font partie de l'appellation pessac-léognan, comptant quelque 425 hectares de vignes.

Léognan possède une vingtaine des cinquante-cinq châteaux de cette appellation, dont quinze produisent des vins blancs et rouges. C'est aussi dans ce périmètre que se niche l'une des plus petites propriétés du Bordelais, le domaine du Petit-Bourdieu, avec seulement 75 hectares et une production moyenne de 3 000 bouteilles par an.

Le village en lui-même présente un intérêt touristique assez limité, à l'exception de son église romane (restaurée au XIXe siècle), de sa boutique de vins, les Caves de Léognan, à proximité des caves du château Malartic-Lagravière.

Pour visiter les châteaux de Léognan et de Martillac, vous devrez partir du centre du village et remonter jusqu'à l'église. De là, en empruntant la route sur la gauche, vous arriverez à Le Bouscaut ; ou à Martillac, en tournant à droite, puis en prenant la première route à gauche (la D109). Cet itinéraire vous

Château Les Carmes Haut-Brion (Pessac)
Tél. 56 93 23 40
Vin élégant, d'un rouge profond.
Château Pape Clément (Pessac)
Cru classé
Tél. 56 07 04 11, fax 56 07 36 70
Aurait appartenu en 1300 à l'archevêque Bertrand de Goth de Bordeaux, puis au pape Clément V. Vin rouge généreux, charpenté. Le blanc est moins intéressant.
Château La Mission Haut-Brion (Talence) Cru classé
Tél. 56 00 29 30
Vin d'une robe sombre, presque noire, de grande qualité.
Château Laville Haut-Brion (Talence) Cru classé
Tél. 56 00 29 30
Vin blanc remarquable, qui mérite d'être attendu pour être à son meilleur niveau.
Château Latour Haut-Brion (Talence) Cru classé
Tél. 56 00 29 30
Vin puissant, complexe, riche en tanin.
Château Carbonnieux (Léognan) Cru classé
Tél. 56 87 08 28, fax 56 87 72 18
Les bénédictins l'achetèrent en 1741 et exportèrent leur vin à la Cour musulmane de Turquie, sous l'appellation d'eau minérale. Vin blanc pâle, frais, équilibré. Le rouge doit être attendu.
Château de Fieuzal (Léognan) Cru classé
Tél. 56 64 77 86, fax 56 64 18 88
L'un des meilleurs vins rouges de la région. Fruité, tannique et d'une belle finale. Le vin blanc est excellent.
Château de France (Léognan)
Tél. 56 64 75 39, fax 56 64 72 13
Vin rouge d'une couleur intense, d'une bonne longueur. Le blanc est agréable, souple et légèrement fruité.
Château Haut-Bailly (Léognan) Cru classé
Tél. 56 64 75 11, fax 56 64 53 60
Le château présente peu d'intérêt. Vin satiné, d'une qualité remarquable.
Château Larrivet Haut-Brion (Léognan)
Tél. 56 64 75 51, fax 56 64 53 47
Vin blanc parfumé, frais. Rouge structuré, qui nécessite d'être attendu.
Château Malartic-Lagravière (Léognan) Cru classé
Tél. 56 64 75 08, fax 56 64 53 66
Vin blanc frais, agréable, avec une finale généreuse. D'une couleur intense, le rouge est de longue garde.

À gauche, en haut : *Vignes du château Haut-Brion.*
À gauche, au centre : *Vieil escalier en pierre du château Olivier, une forteresse médiévale, avec douves et vignobles de graves.*
Ci-contre : *Le château Pape Clément construit en 1300.*

1:47,500

Km. 0   1   2 Km.
Miles 0   1 Mile

donnera un excellent aperçu des terrains graveleux, ou graves, composés d'un mélange de cailloux siliceux, de sable et d'argile. Un circuit touristique des crus classés a même été mis au point, mais la signalisation routière laisse quelque peu à désirer. Deux des châteaux à visiter absolument sont le château La Louvière, dont la construction est attribuée à Victor Louis (XVIIIe siècle), l'architecte du Grand Théâtre de Bordeaux ; et le château Olivier, une bâtisse fortifiée, entourée de douves. Tous les domaines, ou presque, sont ouverts aux visiteurs. Il est toutefois préférable de prendre rendez-vous. Pour vous restaurer, imitez les vignerons de la région et rendez-vous dans un des restaurants de Gradignan.

MARTILLAC

Avant d'arriver à Martillac par la D109, vous traverserez un beau secteur viticole. Grâce à l'association dirigée par André Lurton, qui a réussi à arrêter la destruction des sols graveleux au profit d'exploitations non vinicoles, l'expansion des vignobles de

Ci-dessus : *Le château Olivier mérite une visite, ne serait-ce que pour* *admirer les splendeurs gothiques de cette forteresse.*

Pessac-Léognan

–––·–––·––·	Limite du canton
–––·–––·––·	Limite de la commune
CHÂTEAU	Cru classé
Château	Château non classé
▨	Vignoble du premier cru classé
☐	Autres vignobles
☐	Bois
––50––	Courbe de niveau, intervalle 5 mètres
⬡⬡⬡	Route du vin

Château Olivier
(Léognan) Cru classé
Tél. 56 64 73 31, fax 56 64 73 31
Impressionnant château médiéval.
Ses vignobles de graves donnent un vin
blanc frais et un rouge élégant.
Domaine de Chevalier (Léognan)
Cru classé
Tél. 56 64 16 16, fax 56 64 18 18
Ce remarquable vignoble au milieu
des bois produit un superbe vin blanc
qui surpasse presque tous les autres
bordeaux blancs secs. Il est élevé
avec une attention méticuleuse.
Également excellent, le rouge n'est pas
loin d'être un grand médoc. Il nécessite
une garde de 10 à 20 ans pour exprimer
toute sa personnalité.

Martillac a pu s'amorcer. Les investissements ne se sont pas fait attendre et il est vraisemblable que dans quelques années, la région produira des vins remarquables. De plus, Martillac jouit d'une situation en altitude, rare dans la région.

Le village abrite une église romane ornée de quelques fresques. Un peu excentré, se dresse le château la Tour-Martillac, une résidence datant de 1750. Plus ancienne, une tour, isolée dans la cour, comporte un escalier du XVIᵉ siècle. Le château La Garde, avec ses caves entièrement rénovées, lui fait face.

LABRÈDE

Charles Louis de Secondat, baron de Montesquieu, naquit au château de La Brède en 1689. Le village doit sa renommée à l'auteur de l'*Esprit des lois* et des *Lettres persanes*, qui fut aussi président du Parlement de Bordeaux. Datant des XIIIᵉ et XVᵉ siècles, ce château cerné de douves, qui a peu souffert des dommages du temps, s'élève au milieu d'un parc d'une rare beauté, entouré de bois, de prés et de vignobles. Il existerait un passage souterrain reliant le château de La Brède à celui de Rochemorin, dont Montesquieu était également le propriétaire. Le château est ouvert aux visiteurs pendant le week-end. La bibliothèque, qui renferme 7 000 volumes,

MARTILLAC

🍽 RESTAURANT

Hostellerie Lou Pistou
Tél. 56 23 71 02
Malgré des apparences trompeuses,
la cuisine est bonne. Menus pour 100 F.

🍇 VITICULTEURS RECOMMANDÉS

Chateau La Garde
(Parempuyre) *Tél. 56 35 53 00*
Agréable vin rouge, harmonieux,
aux arômes raffinés. Idem pour le blanc.
Château La Tour Martillac
Cru Classé
Tél. 56 72 71 21, fax 56 72 64 03
Château doté d'une tour dans sa cour
intérieure, vestige d'une forteresse
du XIIᵉ siècle. Le rouge est racé.
Le blanc, un graves sec classique,
doit être attendu.
Château de Rochemorin
(Grézillac)
Tél. 57 25 58 58, fax 57 74 98 59
Vin rouge velouté, long en bouche,
d'une belle souplesse tannique.

Ci-dessus et page de droite : *Deux aspects de la charmante ville de Bazas, près de Langon.*
Ci-contre : *Grappes dans les traditionnels hottes en cuir, au château Pape Clément.*

dont un grand nombre en latin et en grec, est toujours intacte. Le petit village de Labrède, à la limite du canton de Martillac, possède 100 hectares de vignes, dont seulement deux producteurs se partagent 80 % de la surface.

PODENSAC ET SES ENVIRONS

L'autoroute A62 divise la région des Graves en deux. Le canton sud de Labrède, avec son paysage de bois, de prés et de champs de maïs, désespérément plat, offre peu d'intérêt pour les amateurs de vins. En revanche, si vous quittez Labrède par cette autoroute, ou si vous empruntez la N113, vous parviendrez bientôt aux villages viticoles de Castres, Portets et Podensac, entre autres.

Le village de Portets tire son nom de son petit port sur la Garonne qui, autrefois, servait à acheminer d'impressionnantes quantités de marchandises vers l'étranger. Construit au XIXe siècle sur les fondations d'une fortification beaucoup plus ancienne, le château de Portets mérite incontestablement une visite. Une imposante grille en fer forgée (représentée sur les étiquettes des bouteilles) ouvre sur l'immense parc au milieu duquel il se dresse. Le château de Mongenan (XVIIIe siècle), quant à lui, abrite un musée entièrement consacré à Waldec de Lessart, le dernier ministre des Affaires étrangères de Louis XVI. Podensac compte une excellente Maison des vins des graves, très bien informée. Si vous souhaitez sillonner la région, ne

Château Smith Haut Lafitte
(Martillac) Cru classé
Tél. 56 30 72 30, fax 56 30 96 26
Remarquable château, relativement récent, aux chais au milieu des vignobles. Ses blancs et rouges pessac-léognan semblent s'améliorer à chaque vendange.

LABRÈDE

RESTAURANT

Maison des Graves
Tél. 56 20 24 45
Ce restaurant sur la place de l'église propose une cuisine moderne inventive avec, notamment, un *saumon en infusion de graves*. Carte des vins excellente avec des crus peu connus.
Menus à partir de 100 F environ.

VITICULTEURS RECOMMANDÉS

Château Magneau
Tél. 56 20 20 57, fax 56 20 39 95
Graves blanc, charnu, raffiné, qui peut se boire maintenant. Le rouge est solide, fruité. La propriété appartient à la même famille depuis le XVIIIe siècle.
Château La Blancherie-Peyret
Tél. 56 20 20 39
Vin d'un nez agréable.

PODENSAC ET LES ENVIRONS

RESTAURANTS

Le Bel Ombrage
(Castres) *Tél. 56 67 01 66*
Restaurant simple qui sert une cuisine correcte. Menus à partir de 70 F.
Relais des Trois Mousquetaires
(Podensac) *Tél. 56 27 09 07*
L'atmosphère y est conviviale et les plats régionaux sont excellents. Choix entre trois menus (avec soupe pour commencer) à moins de 100 F.
Ma Vie La
(Portets) *Tél. 56 27 07 24*
Situé sur la place du village. Simple, délicieux et étonnamment bon marché (huîtres, salades, grillades, etc.).

VITICULTEURS RECOMMANDÉS

Château Ferrande
(Castres) *Tél. 56 67 05 86*
Les vins rouges sont profonds, racés, d'une finesse de bouquet que l'on retrouve en bouche. Blanc coulant, aux arômes fruités.
Château de Chantegrive
(Podensac) *Tél. 56 27 17 38*
Vin rouge onctueux, avec des notes de chêne marquées. De plus longue garde, le blanc montre une belle complexité de bouquet, et une impression de fraîcheur en bouche.
Château de Mauves
(Podensac) *Tél. 56 27 17 05*
Vin rouge de grande qualité.

Château Cheret-Pitres
(Portets) *Tél. 56 67 27 76*
En bordure de la rivière (prendre
la route pour Langoiran). Graves
de couleur sombre, onctueux et fruité.
Château du Grand Abord
(Portets)
Tél. 56 67 22 79, fax 56 67 22 23
Vin rouge harmonieux, très aromatique ;
blanc fruité, d'une grande pureté
en bouche.
**Château Rahoul de la
Balguerie** (Portets)
Tél. 56 67 01 12, fax 56 67 02 88
Vin blanc remarquable, nuancé
en bouche, à la finale élégante.
Le rouge montre distinction et finesse.

Château Tour Bicheau
(Portets) *Tél. et fax 56 67 37 75*
Un graves rouge corsé, fruité. Le blanc
est moelleux, discrètement fruité.
Château La Vieille France
(Portets) *Tél. 56 67 19 11*
Graves rouge, souple en bouche,
tannique, qui développe une note boisée.
Domaine La Grave
(Landiras) *Tél. 56 62 45 45*
Le rouge est fiable, riche en tanin, bien
charpenté. Le blanc est d'une agréable
fraîcheur.
Vieux Château Gaubert
(Portets) *Tél. 56 67 52 76*
Cave de dégustation et vestiges
de château. Blanc sec magistral,
presque parfait. Rouge raffiné,
très pur en bouche.

Au centre : *Cette ravissante maison
se trouve dans le village de Portets, qui
produit quelques graves remarquables.*
Ci-dessus : *Le Lillet, le vermouth
local, est excellent et d'un prix très
raisonnable, à marier avec du foie gras.*
Page de droite, en haut : *Le château
La Mission Haut-Brion.*

manquez pas d'y faire un tour. Elle abrite aussi une vinothèque
bien approvisionnée, notamment en appellations pessac-léognan.

Le village produit aussi un apéritif à base de vin, le Lillet,
dont une des fabriques, bordant la rue principale, abrite un
musée très amusant (vieilles affiches, étiquettes de vin, etc.). Les
visiteurs sont les bienvenus et se voient même offrir une dégustation de l'apéritif local. Ensuite, pourquoi ne pas aller admirer
les sculptures exposées dans le parc de Chavat ? Vous serez sans
doute étonné par la qualité de l'ensemble.

CÉRONS

Dans la partie sud des Graves, trois cantons possèdent leurs
propres appellations – Cérons, Barsac et Sauternes – même si le
terroir présente la même composition géologique.

La petite enclave autour du village de Cérons constitue une
zone de transition entre Graves et Sauternes : c'est là que s'élaborent les quatre vins les plus importants de ces deux régions,
qu'il s'agisse des rouges ou des blancs secs, mi-secs ou moelleux.
D'où le nombre impressionnant d'appellations utilisées. Les vins
rouges et les vins blancs secs sont vendus comme des graves, les

blancs mi-secs comme des graves supérieurs, et les blancs moelleux comme des cérons. (La pourriture noble – *Botrytis cinerea* –, un microscopique champignon dont l'action permet l'élaboration de délicieux vins liquoreux, est également présente dans la région, mais peut-être avec moins de séduction que plus au sud, à Barsac ou dans le Sauternais.)

Dès le IIIe siècle avant J.-C., il est fait mention de vins originaires de Sirione, nom qui se transforma par la suite en Cérons. Le centre historique de la ville est niché entre la N113 et la Garonne. Vous pourrez notamment y admirer une église romane du XIIe siècle, agrandie au XVIIIe siècle. En

face, se dresse le château de Cérons, construit au XVIIIe siècle par le marquis de Calvimont. La place du bourg, avec son vieux marché couvert, borde le côté est de la N113. Vous y trouverez aussi le Syndicat viticole, qui obtint officiellement, en 1921, l'appellation cérons. Illats, également sous la juridiction de Cérons, possède une intéressante église romane du XIIe siècle, comportant une belle nef.

CÉRONS

HÔTEL

La Grappe d'Or
Tél. 56 27 11 61
Modeste établissement sur la place du village. Chambres à partir de 150 F.
Restaurant sans prétention.

VITICULTEURS RECOMMANDÉS

Château de Cérons
(Cérons) *Tél. 56 27 01 13*
Vin blanc doux produit par une petite propriété.
Château de Gravaillas (Cérons)
Le meilleur vin blanc des vignobles de Cérons est le très velouté « privilège ».
Château Lamouroux
(Cérons) *Tél. 56 27 01 53*
Un graves blanc généreux qui se révèle ample en bouche.
Château d'Archambeau
(Illats) *Tél. 56 62 51 46*
Vin blanc d'un fruité très pur.
Vins rouges de couleur sombre, souples en bouche.
Château d'Ardennes
(Illats) *Tél. 56 62 53 80*
Vin d'un rouge profond, au palais onctueux et fruité. Le blanc est fruité, d'une agréable rondeur.
Château d'Arricaud
(Landiras) *Tél. 56 62 51 29*
Graves supérieurs mi-doux, blancs et rouges, d'un élevage soigné.
Château Haut-Peyraguey (Illats)
Élégant vin rouge d'une plaisante rondeur en bouche.
Château de Navarro
(Illats) *Tél. 56 27 20 27*
Graves supérieurs blancs de très bonne qualité. Le rouge est quelque peu gras, souple en bouche.
Château La Tuilerie
(Illats) *Tél. 56 62 53 80*
Vins blancs et rouges, vifs, aux caractéristiques bien marquées.

Sauternes et Barsac

Sauternes et Barsac

Les vignobles

À quelque 25 kilomètres au sud de Bordeaux s'étend la petite région du Sauternais, qui produit l'un des vins les plus illustres du monde. Classé en tête (premier grand cru) de la classification de 1855, le sauternes fut le seul bordeaux blanc à connaître cet honneur. Pourtant, cela ne suffit pas à établir immédiatement sa réputation. Il fallut attendre 1859 et la visite du grand-duc Constantin au château d'Yquem, qui, si fort impressionné par la dégustation d'un millésime de 12 ans d'âge, offrit 20 000 francs-or pour un tonneau (1 200 bouteilles). Élevé à partir de raisins cueillis plus tardivement, le château d'Yquem n'avait pas encore mis son vin sur le marché.

Le secret du Sauternais tient à son micro-climat. En automne, les eaux froides du Ciron se jettent dans la Garonne, beaucoup plus chaude, créant une brume matinale particulièrement propice au développement du *Botrytis cinerea* sur les grains. Dès 11 heures du matin, l'humidité disparaît avec le soleil, mais le champignon a déjà commencé son œuvre.

Ce champignon pénètre le grain sans endommager la peau, donc sans exposer à l'air la pulpe du

⸺⸺⸺	Limite du canton
⸺⸺⸺	Limite de la commune
CHÂTEAU	Cru classé
Château	Cru bourgeois
▨	Premier grand cru classé
☐	Autres vignobles
☐	Bois
═50═	Courbe de niveau, intervalle 5 mètres
▨	Route du vin

1:41,500

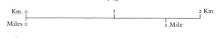

Km. 0   1   2 Km.
Miles 0   1 Mile

Ci-dessous : *Vignes près du village de Pujols-sur-Ciron. En automne, le Ciron favorise l'humidité indispensable au développement du* Botrytis cinerea, *ou pourriture noble.*

6   **7**   la Bou—   **8**   **9**   Cadillac D10   **10**

Château les Plantes
Château Prost

A

CH
NAIRAC
Barsac

LOUPIAC

Pouquet

10

le Grand
Carretey

Castelnau

la Baquère

Garé

l'Aouilley

CHÂTEAU
SUAU

le Port

Garonne

B

St-Marc

Miailhe

CHÂTEAU
BROUSTET
Château
de Menota

Château
Camperos

Pleguemate

le Graveyron

le Moulin du
Pont

STE-CROIX-
DU-MONT

Château
Cantegril

CHÂTEAU
MYRAT

Château
du Bouyot
Ch. Hallet

Château
Dudon

Cru La
Clotte

Ch. du
Mayne

les Justices

Château
des Rochers

l'Ile

CHÂTEAU
CAILLOU

Andoyse

la Peloue

Jean Lève

BARSAC

Château
Simon

Château
COUTET

Ch.
Piot

Château
Rolland

Château
St-Amand

Solon

la
Garengue

l'Houmias

le Sabley

C

Château
Guiteronde

CH.
DOISY-DUBROCA

Mathalin

Barrejats

Château
Gravas

Château
Piada

Château
Pernaud

Faubourguet

Jeandoux

Preignac

Ch. Gilette

CHÂTEAU
CLIMENS

Château
Liot

Ch. Roumieu

CHÂTEAU
DOISY-DAËNE

Château
Beaulac-Dodijos

CHÂTEAU
DOISY-
VÉDRINES

la
Fournouquère

Bordeaux

la Pinesse

la Côte
de Sanche

le Puch

Clos
des Grandes-Vignes

D

Château
Grillon

Lauvignac

Garé

Langon

A62

Laville

la Carotte

Médudon

Lamothe

Château du Pick
Château
les Remparts

D109

Combelle

Château
d'Augey

Château
du Mayne

PREIGNAC

le Bousquet

les
Arrieux

Hosp.

CHÂTEAU DE
MALLE

E

les Chons

le Bélier

le Häire

Perrette

Château Bastor
Lamontagne

Château Pleytegeat

Cru de
Bergeron

le Laurier

Château
Mauras

D116

CHÂTEAU
ROMER-
DU-HAYOT

Gibaroux

Château
Cameron

Miselle

CHÂTEAU
SUDUIRAUT

Moura

D125

la
Brouillère

CHÂTEAU
RABAUD-PROMIS

Château
d'Arche-Pugneau

Château
Touilla

les Petits

l'Abeilley

CHÂTEAU
SIGALAS-RABAUD

Boutoc

Clamuset

Arrançon

D116

Mounic

BOMMES

Château
Lamourette

CHÂTEAU
RAYNE-
VIGNEAU

CHÂTEAU
LAFAURIE-
PEYRAGUEY

Château
Raymond-Lafon

Château
Partarieu

le Tachon

CHÂTEAU
LAFAURIE-
PEYRAGUEY

Château
Lafon

G

Bommes

Château
l'Aubépin

CLOS HAUT-
PEYRAGUEY

CHÂTEAU
D'YQUEM

la Tuilerie

CHÂTEAU LA
TOUR-BLANCHE

Château
Haut-
Bommes

Ch.
le Hère

Cru
Caplane

le Pajot

CHÂTEAU
RIEUSSEC

Beylieu

Caplane

Ch.
d'Arche-Lafaurie

CHÂTEAU
D'ARCHE

H

Fargues

Château

Château
LAMOTHE
GUIGNARD

Cru
Lanère

Château
d'Arche-
Vimeney

Château
Barette

FARGUES

Clos du Pape

CHÂTEAU
LAMOTHE

Sauternes

CHÂTEAU
GUIRAUD

Peyrex

Château
Peillon-
Claverie

Cru
Barjuneau

le Parent

Cru
Thibaut

les Claveries

SAUTERNES

Route de Pineau

D125

le Tchit

Quincarnon

D125

ansuère

9

10

Cru
mmarque

Pineau

CHÂTEAU
FILHOT

SAUTERNES ET BARSAC

HÔTELS

Château de Valmont (Barsac)
Tél. 56 27 28 24, fax 56 27 17 53
Propriété vinicole ancienne. Au-dessus
de la cave, les douze chambres, aux
salles de bains parfaitement équipées,
portent chacune le nom d'un château,
dont une petite bouteille est offerte
aux hôtes en signe de bienvenue.
Malgré la popularité dont jouit l'établissement, l'endroit est tranquille. Prix
à partir de 420 F. Pas de restaurant,
mais une table d'hôtes en saison.

Château de Commarque
(Sauternes)
Tél. 56 76 65 94, fax 56 76 64 30
Charmant petit hôtel doté de huit
chambres, très calmes. Prix à partir
de 200 F. Restaurant agréable et bon
marché. Les propriétaires sont anglais.

RESTAURANTS

**Hostellerie du Château du
Rolland** (Barsac)
Tél. 56 27 15 75, fax 56 27 01 69
Situé en bordure du Ciron. Sa cuisine
est délicieuse et sans prétention. Menus
à partir de 100 F. L'établissement loue
aussi quelques chambres confortables
à partir de 400 F.

La Table du Sauternais
(Preignac) *Tél. 56 63 43 44*
Endroit agréable pour profiter
de quelques innovations culinaires,
parfois surprenantes, en plein Sauternes.
Premiers menus autour de 100 F.

Ci-dessus : *La modeste Maison
du Sauternes signalée par un panneau.*
En haut : *Les vendanges au château
d'Yquem, où l'on élève un vin
liquoreux considéré comme le meilleur
au monde. Les cueilleurs choisissent
un à un les grains attaqués par
le botrytis cinerea, responsable de
la déshydratation des grains et de leur
surconcentration en sucre. Cette méthode
de vendange par tries successives peut
s'étaler sur plusieurs semaines.*

fruit. De petites taches brunâtres apparaissent sur les grains, qui se
rident, se flétrissent, puis se déshydratent. La teneur en sucre des
raisins s'élève en proportion de la perte d'eau. Le sucre se trans-
formera en alcool au cours de la fermentation mais, en raison de
sa très importante concentration, donnera un vin très doux.
Cette évolution s'accompagne d'une modification des arômes.

Pour que cette pourriture noble puisse agir efficacement, elle
doit s'attaquer à des raisins déjà mûrs. Une action trop précoce
ne donnerait pas d'aussi bons résultats. C'est pourquoi il est
nécessaire de vendanger le plus tard possible, ce qui n'est pas sans
risques. Si les conditions atmosphériques changent brusque-
ment, s'il pleut ou que le froid fait son apparition, la récolte est
entièrement perdue. Si tout se déroule bien, en revanche, les
vendanges ont lieu vers la fin octobre. Elles
sont menées avec le plus grand soin : il faut
vendanger par tries successives en ne
cueillant que les grains à point. Leur matu-
ration pouvant varier sur une même vigne,
les vendanges durent parfois des semaines et
non quelques jours comme cela se passe
habituellement.

Cette sélection très stricte explique le
coût nettement plus élevé des sauternes.
Non seulement les vendanges reviennent
beaucoup plus cher mais la production est
très faible : il faut en effet un pied de vigne
pour produire une bouteille de vin. Au château d'Yquem,
chaque pied donne seulement un verre ! La production maxi-
male officiellement autorisée est de 25 hectolitres par hectare,
mais beaucoup de propriétés n'atteignent même pas ce chiffre.

Un bon sauternes touche au sublime. D'une couleur dorée
intense, magnifique, il développe un bouquet très riche en
nuances, aux notes de miel, de noix et d'abricot. La saveur s'amé-
liore encore avec les années : certains jeunes sauternes, bien que
frais et d'une grande pureté, n'atteignent pas la même profondeur
et complexité que des vins avec une certaine maturité.

Les sauternes jeunes sont souvent bus en apéritifs, ou pour accompagner le foie gras (avec le foie gras frais de canard, on lui préfère souvent un loupiac, plus léger). Un vin plus vieux s'harmonise parfaitement avec un bon roquefort.

La région

La région du Sauternais se divise en cinq communes : Barsac, Preignac, Bommes, Fargues et Sauternes. La plus septentrionale, Barsac, se distingue des autres en ce qu'elle possède sa propre appellation, tout en bénéficiant de celle de sauternes. Le paysage y est plus plat qu'à Preignac, tandis qu'à Bommes, Fargues et Sauternes, il est franchement vallonné.

Barsac est le plus ancien village viticole de la région : on a mis au jour des vestiges de villas gallo-romaines à côté de l'église. Sur la porte de cette même église, deux marques indiquent la hauteur des crues de 1770 et de 1930.

Preignac est une petite ville, en bordure de route, dotée d'une église du XVIᵉ siècle à coupole, au décor intérieur baroque, et de quelques salles de dégustation. Des panneaux de signalisation indiquent la direction du château de Malle,

Le Saprien

(Sauternes) *Tél.* 56 76 60 87
Le meilleur restaurant de la région, avec un agréable jardin et une terrasse. Il faut absolument goûter à sa *soupe de crustacés parfumée au safran*. Menus à partir de 120 F (moins chers à midi).

Auberge les Vignes

(Sauternes) *Tél.* 56 76 60 06
Restaurant convivial sur la place de l'Église, qui sert des plats régionaux traditionnels. Menus à partir de 75 F.

VITICULTEURS RECOMMANDÉS

Château Broustet

Cru classé (2ᵉ)
Tél. 57 24 70 79
Barsac franc de goût, équilibré, d'un arôme sans défaut, qui développe une belle finale.

Château Climens

(Barsac) Cru classé (1ᵉʳ)
Tél. 56 27 15 33, fax 56 27 21 04
Vin élégant, riche et raffiné.

Château Coutet

(Barsac) Cru classé (1ᵉʳ)
Tél. 56 27 15 46, fax 56 27 02 20
Barsac noble et raffiné. Dans les grandes années, il donne une « cuvée madame ». Produit également un délicieux graves sec.

Château Gravas

(Barsac) *Tél.* 56 27 15 46
Vin d'une belle nuance dorée, à la note délicate de pourriture noble.

Château Nairac

(Barsac) Cru classé (2ᵉ)
Tél. 56 27 16 16, fax 56 27 26 50
Élégance et finesse caractérisent ce barsac.

Château La Tour Blanche

(Bommes) Cru classé (1ᵉʳ)
Tél. 56 76 61 55
Vin remarquable élaboré par l'École de viticulture et d'œnologie. Il développe des arômes d'une fraîcheur agréable et une belle concentration en bouche.

Château de Fargues (Fargues)

Tél. 57 98 04 20, fax 57 98 04 21
Même propriétaire que le château d'Yquem. Le vin est élaboré avec le même souci de perfection. Un peu moins généreux, il reste d'une grande finesse.

Château Lafaurie-Peyraguey

Cru classé (1ᵉʳ)
Tél. 56 95 53 00, fax 56 95 53 01
Vin élégant, d'un bouquet d'une extrême richesse.

Château Rieussec

(Fargues) Cru classé (1ᵉʳ)
Tél. 42 56 33 50, fax 42 56 28 79
Vin liquoreux d'une rare qualité. L'un des meilleurs de la région. Il allie finesse en bouche et finale intense. Vin blanc sec également excellent.

Ci-contre : Le château Bastor-Lamontagne, commune de Preignac, produit un sauternes remarquable, qui mérite mieux qu'un rang de cru bourgeois.

Château Bastor-Lamontagne
(Preignac) *Tél. 56 63 27 66*
Vin excellent qui peut rivaliser avec
les crus classés.
Château Gillette (Preignac)
Tél. 56 76 28 44, fax 56 76 28 43
Vin remarquable qui doit vieillir en fûts
au moins 20 ans avant d'être mis en
bouteilles. Saveurs de caramel et de miel.
Château Haut-Bergeron
(Preignac) *Tél. 56 63 24 76*
Sauternes généreux d'une couleur dorée.
Château de Malle
(Preignac) Cru classé (2ᵉ)
Tél. 56 63 36 86, fax 56 76 82 40
Dans les bonnes années, vin complexe
et intense. On y élabore aussi un bon
vin rouge, le château-de-cardaillan.
Château Suduiraut
(Preignac) Cru classé (1ᵉʳ)
Tél. 56 63 27 29, fax 56 63 07 00
Vin d'une belle noblesse, presque trop
onctueux.
Château d'Arche
(Sauternes) Cru classé (2ᵉ)
Tél. 56 76 66 55, fax 56 61 95 67
Vin somptueux, aromatique, d'une belle
longueur en bouche.
Château Guiraud
(Sauternes) Cru classé (1ᵉʳ)
Tél. 56 76 61 01, fax 56 76 67 52
Sauternes complexe, d'une étonnante
fraîcheur.
Château Raymond-Lafon
(Sauternes)
Tél. 56 63 21 02, fax 56 63 19 58
Même mode de fabrication qu'au châ-
teau d'Yquem. Vin liquoreux somptueux.
Château d'Yquem
(Sauternes) Premier cru supérieur
Tél. 57 98 07 07, fax 57 98 07 08
Vin légendaire, très onéreux, le meilleur
sauternes.

*Ci-dessus : Le château d'Arche,
l'une des trois propriétés du Sauternais,
classées second cru en 1855.
Ci-dessous : La Maison du Sauternes
vend des vins produits dans la région.*

une magnifique demeure du XVIIᵉ siècle flanquée de deux
tours rondes surmontées de dômes, qu'il serait dommage de ne
pas visiter. Vous y découvrirez ses jardins à l'italienne, une belle
collection d'objets d'art, un mobilier et quelques cheminées
magnifiques, une jolie chapelle et, surtout, l'ensemble de sil-
houettes le plus important d'Europe. Ces étonnants personnages
grandeur nature sculptés dans le bois étaient utilisés lors de
représentations théâtrales, ou comme pare-feu lorsque la chaleur
se faisait trop intense.

Bommes est un petit village construit autour d'une église
romane. Ne manquez pas d'aller faire un tour au château
Lafaurie-Peyraguey, un domaine
datant, en partie, du XIIIᵉ siècle.

Le Sauternais vous paraîtra particulièrement pittoresque si vous y
pénétrez depuis Bommes, en descen-
dant la colline qui mène au village.
Sur la vaste place, la Maison du vin
propose des crus réputés et quelques
bonnes appellations. Perché sur une
colline de 75 mètres de haut, le château d'Yquem est, à tous points de
vue, le château le plus impressionnant
que l'on puisse visiter aux alentours.

Avec son paysage doucement vallonné, la région est très agréable à

parcourir. Il existe même un circuit du Sauternais, bien indiqué, que vous pourrez explorer – vous découvrirez facilement les châteaux en suivant les panneaux. La vallée du Cirons est particulièrement séduisante : elle mérite que vous descendiez de voiture et marchiez un peu. C'est l'endroit idéal pour un pique-nique.

Langon et les environs

C'est à Langon que les habitants du Sauternais viennent faire leurs achats, en particulier le samedi, jour de marché. La ville se trouve à la croisée de plusieurs routes : celle des Landes, de l'Entre-Deux-Mers et l'autoroute pour Toulouse. Les quais en bordure de la Garonne offrent une belle promenade à pied.

À une dizaine de kilomètres, au sud, entre Langon et Bazas, se profile Mazères avec son château de Roquetaillade, construction fortifiée, massive, datant du XIVe siècle. À côté, on aperçoit les ruines d'une fortification, la chapelle Saint-Michel avec son intérieur oriental et son colombier du XIIIe siècle.

Plus passionnant encore est le vieux bourg fortifié de Bazas. Un marché fort animé se tient sur la place, devant l'église gothique. Le jeudi précédant le mardi gras, les bœufs de la célèbre race bazadaise sont promenés dans les rues, à la suite de quoi les plus belles bêtes seront primées. Vous pourrez aussi visiter son petit musée des Antiquités, avec sa boutique d'apothicaire, unique en son genre. L'hôpital Saint-Antoine se trouvait hors des portes de la ville et était destiné aux pèlerins en route vers Saint-Jacques-de-Compostelle.

LANGON

RESTAURANTS

Les Remparts
(Bazas) *Tél. 56 25 95 24*
On y sert des grands classiques de la région, comme le *chapon grignolais aux cèpes.* Menus à partir de 80 F.

Claude Darroze
(Bazas) *Tél. 56 63 00 48*
C'est l'un des grands noms de la Gironde : y dîner en été, sur la terrasse, est une expérience unique. On y sert de la cuisine nouvelle, qui n'a rien renié de ce qu'elle doit à la tradition. L'accueil est chaleureux. Menus à partir de 300 F. Jolies chambres à 350 F environ.

Le Brion
Tél. 56 76 27 75
Ce restaurant au décor très agréable propose une version nouvelle de plats régionaux. Menus à partir de 100 F.

VITICULTEURS RECOMMANDÉS

Château Brondelle (Langon)
Tél. 56 62 38 14, fax 56 62 23 14
Graves rouge au bouquet agréable, léger ; blanc fruité, très frais.

Château Camus
(Saint-Pierre-de-Mons)
Tél. 56 63 19 34, fax 56 63 21 60
Graves rouge, honnête, agréablement fruité.

Château Chicane (Langon)
Tél. 56 63 50 52, fax 56 63 42 28
Vin rouge, rond en bouche, d'une belle couleur, fruité.

Château de Courbon
Graves blanc, agréable, bien équilibré, frais, coulant.

Clos Floridène (Beguey)
Tél. 56 62 96 51, fax 56 62 14 89
Le blanc est frais, robuste, avec une petite note boisée en bouche. Le rouge est rond, ferme en bouche avec de riches arômes de fruits rouges.

Château Montalivet
Vin blanc frais, lisse, qui se distingue par son arôme vanillé. Le rouge est bien structuré, d'une agréable souplesse en bouche.

Château Respide-Médeville
(Preignac) *Tél. 56 76 28 44*
Le rouge et le blanc comptent parmi les meilleurs graves. Le blanc est riche, d'un caractère très affirmé ; le rouge se distingue par son fruité et ses notes boisées.

Château Saint-Robert (Preignac)
Tél. 56 63 27 66, fax 56 76 87 03
Graves rouge remarquable ; propriété récente.

Château de Gaillat (Langon)
Tél. 56 63 50 52, fax 56 63 42 28
Vin tannique, bien fait, aux très riches arômes de pruneaux.

Entre-Deux-Mers

L es « mers » sont en réalité deux fleuves, la Dordogne et la Garonne, remontés par la marée jusqu'en amont de Libourne. Ils dessinent les deux côtés d'un triangle occupé par la vaste région de l'Entre-Deux-Mers, jusqu'aux confins du département de la Gironde, à l'est, qui en est la base. L'Entre-Deux-Mers, d'une longueur de 80 kilomètres et d'une largeur atteignant par endroits 30 kilomètres, est la région viticole la plus étendue du Bordelais.

Le secteur enclavé entre les deux cours d'eau regroupe diverses appellations, dont l'entre-deux-mers est de loin la plus importante. Jusque dans les années soixante-dix, il produisait des vins blancs mi-secs, quelque peu insipides, qui n'intéressaient guère les œnophiles. Mais ces dernières années, ils sont redevenus des blancs secs, d'une excellente qualité. La région produit aussi des vins rouges, des rosés légers et des blancs moelleux.

Les rouges de l'Entre-Deux-Mers jouent cependant un rôle non négligeable : de nombreuses appellations de Bordeaux leur doivent en effet leur existence. C'est le cas des premières-côtes-de-bordeaux, à l'ouest, dont la production ne cesse d'augmenter. Mais aussi celui des vins doux de Cadillac – dont la découverte réservera quelques bonnes surprises –, ou, plus au sud, en bordure de la Garonne, les deux vignobles de Loupiac et Sainte-Croix-du-Mont. Situés en face du Sauternais, ils produisent des vins blancs liquoreux incomparables, même s'ils n'ont pas la richesse, l'intensité et le moelleux de leur illustre voisin. Plus au sud encore, on trouve l'appellation bordeaux-saint-macaire : l'essentiel de la production de vin rouge est vendue comme bordeaux ou bordeaux supérieur, même si l'on trouve quelques rares vins blancs. À l'extrémité nord-est, s'étend la région de Sainte-Foy-Bordeaux, tandis que le nord-ouest, entre Libourne et Bordeaux, est occupé par les graves de Vayres, qui donnent pourtant des vins blancs et rouges très agréables.

Ci-contre : *L'ostréiculture est une activité très répandue dans l'Entre-Deux-Mers. Les huîtres sont servies* *avec un des délicieux vins blancs de la région, notamment ceux à fort pourcentage de sauvignon blanc.*

À droite : *Le vin remarquable du château de Tastes provient uniquement d'un seul hectare de vignes de sauvignon blanc, à Sainte-Croix-du-Mont. La propriété, qui date de 1230, appartient à Bruno Prats (également le propriétaire de Cos d'Estournel).*

ENTRE-DEUX-MERS

HÔTELS

Château de la Tour (Beguey)
Tél. 56 76 92 00, fax 56 62 11 59
Vue sur le château de Cadillac.
Chambres confortables à partir
de 475 F. Piscine, terrasse et restaurant,
qui sert des plats classiques (menus
à partir de 135 F).
Le Saint-Martin (Langoiran)
Tél. 56 67 02 67, fax 56 67 15 75
Situé en bordure de la rivière. C'est un
établissement paisible, aux chambres
petites mais agréables, équipées de
salles de bains minuscules. (à partir
de 300 F). Le restaurant propose des
menus à partir de 100 F. Base idéale
pour la visite touristique de la région
des Graves, qui s'étend à quelques
minutes de là, de l'autre côté du pont.
Château Lardier (Ruch)
Tél. 57 40 54 11, fax 57 40 70 38
Hôtel calme entouré de vignobles,
à 15 minutes de Castillon-la-Bataille.
Ses neuf chambres sont bien tenues
(environ 300 F). Le restaurant sert
des menus à partir de 135 F.
Également une propriété viticole.
Château Malromé
(Saint-André-du-Bois)
Tél. 56 76 46 91, fax 56 76 46 18
Chambres d'hôtes très confortables
dans le château où Toulouse-Lautrec
passa ses dernières années.
Les prix varient entre 350 et 650 F.
Grand Hôtel (Sainte-Foy-la-Grande)
Tél. 57 46 00 08, fax 57 46 50 70
Situé dans la rue principale (parking
à proximité). Chambres correctes
d'une belle hauteur de plafond à partir
de 300 F. Par beau temps, déjeuner et
dîner sont servis sur la terrasse. Bonne
cuisine régionale servie en portions
généreuses (menu à partir de 135 F).
Excellent point de départ pour découvrir la région de Sainte-Foy-Bordeaux.

RESTAURANTS

Saint-James (Bouliac)
Tél. 57 97 06 00, fax 56 20 92 58
Depuis des années, c'est incontestablement la meilleure table de la Gironde.
L'excellente cuisine, inventive, de Jean-Marie Amat mérite le détour. Menus à
partir de 300 F. La carte des vins est
impressionnante. Le Saint-James possède aussi un hôtel au décor contemporain original. Chambres à partir de
600 F.

Entre la Dordogne et la Garonne

L'Entre-Deux-Mers, entre la Dordogne et la Garonne, abrite aussi quantité de monastères, d'abbayes, d'églises romanes, de forts, de châteaux et de bourgs fortifiés, ou bastides qui méritent d'être visités tant pour leur beauté que pour le patrimoine qu'ils représentent – autant de témoignages des guerres que se livrèrent Français et Anglais jusqu'en 1453. Son paysage vallonné, composé de vignobles, de prés, de bois et de champs, sans cesse différent, en fait une région très agréable à parcourir.

Itinéraires

De Bordeaux, vous pourrez choisir entre plusieurs routes touristiques, en fonction de ce que vous souhaitez voir et du temps dont vous disposez. En règle générale, il faut compter une journée pour faire le tour complet de la région. Voici l'un des itinéraires proposés : Bordeaux, Floirac, Latresne, Créon, Cadillac, La Réole, Monségur, Sauveterre-de-Guyenne, Castelviel, Rauzan, Branne, puis retour à Bordeaux.

À la Maison du vin de Quinsac, vous pourrez vous procurer une carte sur l'appellation spéciale de la région (*Balades en premières côtes de Bordeaux*). À Beychac-et-Cailleau, la très moderne Maison de qualité, fondée à l'initiative des producteurs bordelais, pourra vous renseigner sur les visites de propriétés viticoles. Une vinothèque bien fournie se cache au sous-sol.

L'Office du tourisme de Bordeaux vous procurera aussi des itinéraires, dont les thèmes sont bien éloignés de la viticulture : circuit des églises fortifiées, circuit des villes fortifiées, circuit des souterrains et, bien évidemment, circuit des bastides de la Gironde. Tous couvrent des distances comprises entre 140 et 200 kilomètres. Vous trouverez ci-après une description, par ordre alphabétique, des bourgs et villages qui nous ont paru les plus dignes d'intérêt. Sont généralement mentionnés les sites à visiter, les restaurants et les propriétés viticoles.

À Baurech, les vignobles furent plantés à l'emplacement d'une villa gallo-romaine, résidence de Leontius II. À Béguey, les collines offrent un magnifique point de vue sur le paysage

Le Bistroy

(Bouliac) *Tél. 57 97 06 06*
Une édition plus modeste du Saint-James mais qui offre une cuisine tout aussi délicieuse. Premiers menus à moins de 200 F. À éviter les jours de grosse chaleur, car la salle de restaurant est installée dans la serre.

Hôtel de France (Branne)

Tél. 56 84 50 06, fax 57 74 99 51
Sur la place du marché. Cuisine classique avec des plats comme la *sole aux cèpes* et les *profiteroles au chocolat*. Menus à partir de 110 F. Chambres à partir de 250 F.

La Maison du Fleuve

(Camblanes) *Tél. 56 20 06 40*
Restaurant de style Lousiane sur pilotis, sur les rives de la Garonne. On y sert une nouvelle cuisine agréable, du type *vol au vent d'escargots à la Bordelaise*. Menus à partir de 100 F environ.

Marc Demund (Carbon Blanc)

Tél. 56 74 72 28, fax 56 06 55 40
Excellent restaurant dans un cadre inattendu, proche de l'autoroute A10. Cuisine inventive avec quelques plats remarquables. Menus à partir de 180 F.

Château Camiac

(Créon) *Tél. 56 23 20 85*
Ce château romantique du XIXe siècle est situé sur la route de Branne. Cuisine classique influencée par les tendances nouvelles : *poêlée de ris de veau et de langoustines*. Menus à partir de 200 FF.

La Fontine

(Fontet) *Tél. 56 61 11 81*
Restaurant très fréquenté qui sert des plats régionaux, tel le *magret grillé, escalopé de foie gras*. Menus à partir de 60 F environ.

Les Remparts (Gensac)

Tél. 56 47 43 46, fax 57 47 46 76
Vue magnifique sur la vallée. C'est l'un des restaurants de la région Sainte-Foy-Bordeaux qui montent. Menus à partir de 100 F.

Les Trois Cèdres

(Gironde-sur-Dropt)
Tél. 56 71 10 70, fax 56 71 12 10
Vu de l'extérieur, difficile d'imaginer qu'y excelle l'un des jeunes chefs les plus prometteurs de la région. On y prépare une cuisine originale, par exemple des *blinis de guanaja* et du *caviar de pommes au nougat*. Menus à partir de 120 F. On y loue aussi quelques chambres à environ 300 F (demandez-en une donnant sur l'arrière).

La Belvédère

(Juillac) *Tél. 57 47 40 33*
Perché sur une colline, offrant une vue splendide sur la Dordogne, l'endroit offre quelques spécialités régionales – *magret* et *confit de canard*, notamment. Menus à partir de 100 F. Suivre les panneaux à la sortie du village.

Le Coq Sauvage (Saint-Loubès)
Tél. 56 20 41 04, fax 56 20 44 76
En bordure de la Dordogne, près
du petit port, ce convivial restaurant
propose dans son agréable jardin
intérieur des plats régionaux, typiques.
Menus à partir de 120 F. Il loue aussi
6 chambres à environ 300 F.

Au Vieux Logis
(Saint-Loubès) *Tél. 56 78 91 18*
Cette maison réputée prépare
une délicieuse cuisine et se trouve
à 5 minutes du terrain de golf. Menus
à partir de 120 F. À 150 mètres,
un petit hôtel dispose de chambres
simples mais correctes à partir de 250 F.

L'Abricotier
(Saint-Macaire) *Tél. 56 76 83 63*
Décor moderne et nouvelle cuisine :
*courgettes à la menthe, mousse de fromage
blanc au miel.* Menus copieux à partir
de 100 F environ.

VITICULTEURS RECOMMANDÉS

Beau Rivage Laguens (Baurech)
Vin bien structuré, d'un rouge sombre,
aux notes boisées et fruitées.
Château Melin (Baurech)
Tél. 56 21 34 71, fax 56 21 37 72
Vin blanc sec, équilibré et fruité.
Château Reynon
(Béguey) *Tél. 56 62 96 51*
Vin blanc sec remarquable, aux arômes
subtils et fruités. Le rouge (un premières-
côtes-de-bordeaux), est d'une couleur
intense, puissant, fruité, vanillé,
long en bouche.
Château Lesparre
(Beychac-et-Cailleau)
Tél. 57 24 51 23, fax 57 24 03 99
Vin rouge, élégant, équilibré, vif,
d'une couleur intense.
Château Glaudet (Blasimon)
Tél. 56 71 55 28, fax 56 71 59 32
Vins rouges élaborés par
les vignerons de Guyenne.
Château les Gauthiers (Bonnetan)
Ce petit vignoble produit un vin rouge
scintillant, d'une grande concentration
fruitée en nez et en bouche.
Château Fort-Bayard (Branne)
Vin rouge très tannique, mais
d'une belle souplesse en bouche.
Le vin blanc mérite aussi une mention
pour son fruité.
Château David La Closière
(Cadillac)
Vin blanc frais, très fruité. Il est parfait
quand il est jeune.
Château Fayau (Cadillac)

environnant. Sur le plan architectural, on pourra s'intéresser aux vestiges d'une enceinte fluviale et au domaine de Peyran (XVIIIᵉ siècle). Beychac-et-Cailleau, pour sa part, offre deux attractions : un excellent parcours de golf et la Maison de qualité, l'« ambassade » des producteurs bordelais.

L'abbaye bénédictine (pour l'essentiel en ruine) de Blasimon, a conservé son remarquable portail, orné de représentations allégoriques du Vice et de la Vertu. La mairie présente une modeste collection d'objets archéologiques découverts dans la région. Perché en hauteur, Bouliac est surtout réputé pour ses restaurants mais il serait dommage de ne pas visiter son église du XIIᵉ siècle, construite sur les fondations de la villa gallo-romaine Vodol (*Vodollacum Bodollacum* devint Bouliac), et qui servit de refuge pendant la guerre de Cent Ans. Branne est un petit port sur la Dordogne, non loin de Libourne, qu'il faut découvrir au lever du soleil. Son église néo-gothique date du XIXᵉ siècle.

Cadillac possède sa propre appellation de vins blancs (les vins rouges sont vendus comme des bordeaux ou des bordeaux supérieurs). Édifiée au XIIIᵉ siècle, la ville a conservé une partie de son enceinte. Au centre se dresse l'imposant château fortifié des ducs d'Épernon, qui abrite aujourd'hui la Maison du vin. Construit au XVIIᵉ siècle, il servait, entre autres fonctions, de prison pour femmes. À l'intérieur, les chambres possèdent de gigantesques cheminées et de magnifiques plafonds peints. Tous les samedis, la localité accueille un important marché.

À Cambes, l'intérieur de l'église romane de Saint-Martin est classé monument historique. Ne manquez pas de visiter aussi le château de Peyrat, construit en 1655. Une agréable terrasse entoure l'église de Camblanes et Meynac, dont la mairie expose une mosaïque romaine. Il serait également dommage de ne pas voir Capian et les fondations de son vieux moulin (qui a fait l'objet de nombreuses fouilles), la tour médiévale utilisée par le télégraphe de Chappe, et l'église romane de Saint-Saturnin, où l'on a mis au jour une barrique gallo-romaine.

Depuis des siècles, les Bordelais aisés viennent se reposer à Carignan-de-Bordeaux et dans ses environs. Il faut visiter les châteaux de Carignan (en partie du XVe siècle) et de Canteloup (également une propriété viticole réputée), de même que l'église du XIIe siècle. À Castelviel, un peu plus loin, vous pourrez admirer le portail roman de son église, perchée au sommet d'un coteau. L'un des bas-reliefs représente la taille d'une vigne.

Cénac constitue une halte importante pour les pèlerins en route pour Saint-Jacques-de-Compostelle, mais c'est surtout la campagne environnante qui attire les visiteurs. On peut notamment profiter d'une vue splendide sur la Garonne, entre Cénac et Montillac. À proximité de Créon, se dresse la plus célèbre des

Tél. 57 98 08 08, fax 56 62 18 22
Bon bordeaux supérieur rouge aux arômes intenses et d'une bonne longueur en bouche. Le vin blanc doux a remporté plusieurs prix.
Clos des Capucins (Cadillac)
Élégant bordeaux blanc, dominé par le cépage de sauvignon.
Château Melin (Cambes)
Vin rouge fiable, très agréable. Le rosé et le blanc (plutôt) doux méritent également l'attention.

À gauche : *Le château de Cadillac, une forteresse du XIIe siècle, produit des bordeaux et des bordeaux supérieurs blancs et rouges.*
Ci-dessous : *Les Premières côtes de Bordeaux. On y élabore des vins blancs mi-doux, mais les rouges, très marqués par leur cépage principal, le merlot, sont dignes d'éloges.*

Ci-dessus : *Vestiges imposants d'une forteresse du XIIIe siècle, à Langoiran, dans la partie sud des Premières côtes de Bordeaux.*

Château Brethous
(Camblanes-et-Meynac)
Tél. 56 20 77 76, fax 56 20 08 45
L'un des plus anciens viticulteurs de Camblanes. Dans les bonnes années, on y produit un vin rouge souple, solide.

Château du Grand Moueys
(Capian)
Tél. 57 97 04 44, fax 56 72 10 85
Vin rouge élégant, frais et vif.

Château Rauzé-Lafargue
(Cénac)
Vignoble assez récent. Vin rouge d'une bonne ampleur fruitée.

Domaine de la Meulière
(Cénac)
Tél. 56 20 64 38, fax 56 20 11 98
Vin rouge élevé avec soin, aromatique et équilibré.

Château Bauduc
(Créon) *Tél. 56 23 23 58*
La cuvée « les-trois-hectares » est un vin blanc séduisant aux arômes délicats de fleurs, qui développe une finale harmonieuse avec une légère note boisée.

abbayes de l'Entre-Deux-Mers, La Sauve-Majeure. Sa tour date de 1230 et la vue du sommet est impressionnante. L'abbaye elle-même (édifiée en 1079) est passablement en ruine mais reste intéressante. Elle abrite aussi un musée.

Espiet apporte la preuve que l'Entre-Deux-Mers ne compte pas uniquement des bastides et des églises fortifiées, mais aussi des moulins fortifiés. Le Moulin Neuf est ainsi l'un des plus élégants. Quant à l'eau de la fontaine de Saint-Aignan, on raconte qu'elle soigne la lèpre et les maladies oculaires. L'église romane de Gabarnac, XIIe siècle, est un pur chef-d'œuvre : son portail est classé monument historique. Plusieurs moulins du XVIIIe siècle sont disséminés dans le village. Pour visiter celui de Gornac, et son petit musée, prenez rendez-vous.

Château du XVIe siècle, transformé en forteresse au XVIIe siècle, Haux est devenu aujourd'hui une propriété vinicole. On peut y acheter des vins des anciens vignobles. À Langoiran, le château est en ruine, mais d'excellents vins vieillissent dans les anciennes carrières. La ville compte aussi une église du XIIe siècle, un jardin botanique (le parc de Peyruche) et un zoo. Proche du château de Langoiran, Lestiac est bien connu des pêcheurs ; on peut notamment y prendre des aloses. Tandis que Loubès possède l'un des plus beaux moulins fortifiés de l'Entre-Deux-Mers, avec des entrées aux deux étages (afin de pouvoir y accéder en cas de crues).

La réputation de Loupiac ne cesse de croître. Ses vins blancs presque liquoreux rappellent ceux de Sainte-Croix-du-Mont. Ils sont bus jeunes, en apéritifs, et accompagnent à merveille le foie de canard. Les millésimes plus vieux sont délicieux avec les tartes aux fruits. Des fouilles archéologiques ont par ailleurs mis au jour des thermes gallo-romains avec leurs mosaïques. Classée monument historique, l'église mérite une visite.

Le charmant village de Quinsac abrite la Maison du vin réservée aux premières-côtes-de-bordeaux. Dans le mur du presbytère, la fontaine du Clairet porte un nom suffisamment évocateur. Un marché se tient tous les mercredis sur la place. Un peu plus loin, les vestiges du château de Duras (XIIe-XVe siècle) surplombent le village de Rauzan. Vous y trouverez aussi l'une des plus importantes coopératives de France, et l'une des meilleures, l'Union des producteurs de Rauzan.

À proximité de la petite ville de La Réole, l'abbaye de Saint-Ferme a résisté aux épreuves du temps. Construite par les moines de Cluny, partiellement transformée après 1585, elle abrite aujourd'hui la mairie. On remarquera la monumentale cheminée qui orne l'une des pièces de l'aile gauche. À La Réole, le marché a lieu le jeudi. La ville médiévale de Rions est souvent surnommée la « Carcassonne de la Gironde ». Son enceinte du XIVe siècle n'en est pas la seule curiosité architecturale ; les autres sont la tour du Lhyan, les ruelles de la citadelle, la grotte dite de Charles VII et l'église du XIIe siècle. Si celle de Saint-André-du-Bois a peu d'intérêt historique, les énormes cèdres qui l'entourent furent vraisemblablement les témoins d'événements passionnants. C'est notamment dans ce bourg que le peintre Toulouse-Lautrec choisit de résider à la fin de sa vie, au château Malromé. Certaines pièces sont ornées de reproductions de ses œuvres. Quelques chambres d'hôtes y sont disponibles. À Saint-Caprais-de-Bordeaux, vous pourrez admirer un très bel exemple de sculpture médiévale, une Vierge à l'enfant dans l'église du XIe-XIIe siècle.

Château Roques-Mauriac
(Doulezon)
Tél. 57 40 51 84, fax 57 40 55 48
La cuvée « Hélène » est l'un des grands noms de l'Entre-Deux-Mers. Ce vin rouge fruité est vieilli en fût de bois. Ne pas négliger cependant le rouge élaboré en fûts d'acier sur la même propriété.

Château Bonnet (Grézillac)
Tél. 57 25 58 58, fax 57 74 98 59
Vin blanc, gras, rond en bouche, avec de riches arômes de fruits et de fleurs printanières. Le rouge, fruité, souple, est aussi très plaisant.

Château de Haux (Haux)
Tél. 56 23 35 07, fax 56 23 25 29
Vin blanc première cuvée remarquable, riche et complexe.

Château Lamothe de Haux
Tél. 56 23 05 07, fax 56 23 24 49
Vin blanc sec au bouquet complexe, rond en bouche.

Château de Langoiran
Tél. 56 67 08 55, fax 56 67 32 87
Excellent vin rouge mûri en fûts de chêne.

Château Tanesse
(Langoiran) *Tél. 56 31 44 44*
Vin rouge solide, qui développe une note discrète de chêne.

Château de Seguin (Lignan)
Tél. 56 21 97 84, fax 56 78 34 85
Un bordeaux supérieur régulièrement médaillé. Harmonieux, souple et d'une finale intense. Mérite d'être attendu quelques années.

Château Vieux Moulin (Loupiac)
L'un des plus beaux de la région, qui donne un vin succulent.

Clos Jean (Loupiac)
Tél. 56 62 99 83, fax 56 62 93 55
Blanc sec produit dans un village réputé pour son blanc doux. Aromatique, profond et complexe en bouche. Le vin rouge est également remarquable.

Château de Roquefort
(Lugasson)
Tél. 56 23 97 48, fax 56 23 51 44
Vin blanc (cuvée spéciale) vieilli en fûts, à la saveur florale complexe.

Domaine de Chastelet (Quinsac)
Tél. 56 20 86 20, ou 56 72 61 96
Vin d'une couleur intense avec une dominante boisée en nez et en bouche.

Château Vincy (Rauzan)
Tél. 57 84 13 22, fax 57 84 12 67
Le merlot domine dans ce vin rouge sombre, aux arômes de fruits rouges et long en bouche.

Comte de Rudel
(Rauzan) *Tél. 57 84 13 22*
Vin rouge élaboré à la coopérative. Fruité avec une finale onctueuse.

Ci-contre : *Loupiac produit des vins blancs doux, liquoreux, qui, comme le sainte-croix-du-mont, offrent une bonne alternative aux sauternes et barsac.*

Sainte-Croix-du-Mont est réputé pour ses vins blancs doux, dont certains atteignent presque la perfection des sauternes. Sur place, on les boit surtout en apéritifs, ou en accompagnement de volaille, de la viande blanche et de gibier. Découvrez-en la saveur dans l'une des caves locales. De la place de l'église, on bénéficie d'une vue splendide sur la vallée de la Garonne, le Sauternais et le canton de Graves. Le bourg est également connu pour ses grottes comprenant des couches d'huîtres fossilisées et son château de Tastes, datant des XIVe et XVe siècles.

Sainte-Foy-la-Grande est une ville au riche passé historique comme en témoignent bâtiments anciens et fortifications en ruine. À Saint-Germain-du-Puch, les vestiges sont nombreux : mosaïques romaines dans l'église, architecture militaire du XIVe siècle au château du Grand Puch.

La ville médiévale de Saint-Macaire a donné son nom à l'appellation côtes-de-bordeaux-saint-macaire. Allez jeter un coup d'œil à ses maisons anciennes, ses arcades, ses enceintes et son église, ou encore son musée de la Poste et son aquarium tropical.

R Rauzan Réserve (Rauzan)
Vin blanc sec, très aromatique
et profond en bouche.
Château de Rions
Tél. 56 72 10 40, fax 56 72 16 92
Vin blanc fruité, lisse.
Château Loubans (Sainte-Croix-du-Mont). *Tél. 56 62 01 25*
Vin élégant, succulent, presque crémeux.
Château Lousteau-Vieil
(Sainte-Croix-du-Mont)
Tél. 56 62 01 41
Remarquable vin blanc qui supporte
la comparaison avec les barsacs.
Château La Rame
(Sainte-Croix-du-Mont)
Tél. 56 62 01 50, fax 56 62 01 94
Vin onctueux, de garde.
Château Jonqueyres
(Saint-Germain-du-Puch)
Vin rouge intense, lisse, d'une agréable
souplesse tannique, aux arômes fruités.
Château de Malagar
(Saint-Maixant). *Tél. 56 31 44 44*
Vin rouge élégant, charmeur ; deux vins
blancs corrects.
Château Le Grand Verdus
(Sadirac)
Tél. 56 30 64 22, fax 56 23 71 37
Vin rouge magnifique, d'une structure
parfaite, aux notes délicieuses de chêne.
Château de Beaulieu
(Sauveterre-de-Guyenne)
Tél. 56 61 55 21, fax 56 71 60 11
Vin rouge produit par la coopérative.
Robuste, fruité, long en bouche.
Domaine du Bourdieu (Soulignac)
Propriété qui utilise depuis 20 ans des
méthodes agrobiologiques de viticulture.
Bons résultats (rouge, rosé et blanc).

François Mauriac séjournait fréquemment dans sa maison de Malagar, dans la commune de Saint-Maixant, aujourd'hui propriété du conseil général d'Aquitaine. Les chais voisins abritent un musée exposant les souvenirs et les documents concernant l'auteur. Sauveterre-de-Guyenne est une belle bastide qui a conservé quatre de ses portes médiévales, vestiges des anciennes fortifications. À la boulangerie de la Basselerie, vous pourrez acheter du pain cuit à l'ancienne. À Soulignac, vous verrez le seul moulin à vent de l'Entre-Deux-Mers, destiné à produire de l'électricité. Si Targon mérite une attention particulière pour son église romane, la grande attraction de la petite bourgade de Vayres réside en son château – aujourd'hui un centre de conférences –, dont les principaux bâtiments datent des XVIe et XVIIe siècles. On admirera son escalier monumental et le jardin dominant la Dordogne, ou son pigeonnier, qui peut abriter jusqu'à 2 600 volatiles. Vayres est le centre du petit secteur viticole, qui produit des vins rouges et blancs d'une belle souplesse. Les vins blancs, autrefois mi-secs, ont heureusement suivi la tendance actuelle qui privilégie les vins secs.

Verdelais enfin, est surtout visité pour sa très belle basilique, dont la reconstruction date du XVIIIe siècle, remaniée au milieu du XIXe siècle. Toulouse-Lautrec repose dans son petit cimetière.

Page de gauche et au centre :
Le monumental château de Vayres attire de nombreux visiteurs.
Ci-dessus : *Traitement aux fongicides et insecticides.*

Château la Clyde
(Tabanac)
Tél. 56 67 56 84, fax 56 67 12 06
L'un des meilleurs vins rouges
des Premières côtes de Bordeaux.
Généreux, ferme et souple.

Château de Plassan
(Tabanac) *Tél. 56 67 53 16*
À la fin de la Révolution, la famille
Clauzel fit reconstruire le château
dans le style palladien. Le vin blanc
ordinaire est d'un goût agréable.
La cuvée spéciale est plus riche,
avec une note boisée.

Château Toutigeac
(Targon)
Tél. 56 23 90 10, fax 56 23 67 21
Pour élaborer son vin blanc
(100 % sémillon), le propriétaire utilise
l'appellation haut-benauge (Entre-Deux-
Mers). Ce vin onctueux, aux notes
minérales, rappelle les graves blancs.
Le rouge est bien équilibré.

Château Bussac
(Vayres)
Vin blanc généreux en bouche.

À VOIR

À Morizès, un hameau près de
La Réole, vous pourrez admirer le travail
d'une artiste installée dans la région,
notamment ses tuiles cuites dans un
four gallo-romain *(Tél. 56 71 45 56)*.

Le 25 novembre, du vin jaillit de
la fontaine de Camblanes-et-Meynac,
tout comme de celle de Quinsac.

À Vayres, un tonnelier travaille encore à
l'ancienne. On peut lui rendre visite en
prenant rendez-vous *(Tél. 56 74 85 29)*.

Le Libournais

Sur la rive droite de la Dordogne figurent deux des secteurs viticoles les plus réputés du monde : Saint-Émilion et Pomerol. Pourtant, il fallut attendre le milieu du XXᵉ siècle pour que les vins élevés dans cette région connaissent une renommée internationale. Si, en France, ils étaient appréciés des amateurs, à l'étranger, on ignorait souvent jusqu'à leur existence. Il est vrai que lorsque fut opérée la classification de 1855, la production du Libournais fut volontairement écartée – une appréciation qui paraît invraisemblable aujourd'hui.

La région de Saint-Émilion est bordée au nord par la Barbanne, une petite rivière, à l'est par les collines dominant Castillon-la-Bataille, au sud-est et au sud (de Castillon-la-Bataille à Libourne) par la vallée de la Dordogne, et à l'ouest, enfin, par une autre plaine, moins uniformément plate, qui s'étend jusqu'à Libourne. Ces frontières sont pratiquement identiques à celles délimitées, en 1289, par Édouard Iᵉʳ d'Angleterre, lorsqu'il dessina les contours de la contrée. Lorsque l'on jette un coup d'œil sur une carte, on comprend immédiatement les raisons de ce tracé : les différences d'altitude varient de 100 mètres au-dessus du niveau de la mer, à proximité de l'église du centre-ville, à seulement 10 mètres, dans le village de Viognet.

Pomerol est une petite appellation, de création relativement récente, puisqu'elle ne remonte qu'aux années 1936. C'est l'un des rares vignobles du Bordelais dont les crus ne firent jamais l'objet d'un classement officiel. Ce qui n'empêche pas le château-pétrus et quelques autres vins d'être mondialement recherchés. La demande dépasse largement la production et les prix ont généralement suivi cette ascension.

Le canton de Fronsac, dont les vins ne cessent de s'améliorer, commence de susciter un intérêt équivalent.

Ci-contre : *Les vignobles du château Saint-Georges (fin du XVIIIᵉ siècle), à Saint-Georges-de-Montagne.*

Le château fut construit en 1774 par Victor Louis, l'architecte du Grand Théâtre de Bordeaux.

Le Libournais

- —·—·—· Limite du canton
- —·—·—· Limite de la commune
- ———— Communes satellites autorisées à ajouter Saint-Émilion à leur nom
- [ ] Vignobles
- [ ] Bois
- 106 Zone présentée à une plus grande échelle à la page indiquée
- ══100══ Courbe de niveau, intervalle 20 mètres
- ▨▨▨ Route du vin

LIBOURNE

Une bastide fut édifiée au XIIIe siècle, à l'instigation du roi Henri III d'Angleterre, autour d'un petit bourg remontant au Ier siècle, bénéficiant d'un emplacement stratégique idéal. Roger de Leyburn en assura la construction et donna probablement son nom à Libourne.

Sa situation privilégiée au confluent de la Dordogne et de l'Isle permit à Libourne de développer une importante activité fluviale, et de devenir rapidement un grand centre commercial – notamment pour les régions de Pomerol et de Saint-Émilion. En 1270, elle acquit son statut de ville. Il est étrange que la plupart des vins élaborés dans les contrées avoisinantes (Pomerol, Saint-Émilion et Entre-Deux-Mers) quittèrent le port de Libourne avant même d'être connus dans la ville de Bordeaux.

LIBOURNE

🔑 HÔTELS

Loubat
32, rue de Chanzy
Tél. 57 51 17 58, fax 57 25 13 58
Hôtel confortable avec des chambres
à partir de 300 F. Cuisine simple
mais bonne, avec un premier menu
à moins de 100 F.

Auberge les Treilles
11, rue de Treilles
Tél. 57 25 02 52, fax 57 25 29 70
Situé dans une petite rue, plutôt paisible,
l'établissement compte 25 chambres
modernes, de dimensions modestes
mais confortables (hormis la lampe
de chevet). Lorsque le temps s'y prête,
les repas sont servis à l'extérieur,
sur la terrasse. Plats régionaux.
Premiers menus autour de 100 F.
Parking gratuit de l'autre côté de la rue.

Ci-dessous et page de droite :
Le marché qui se tient trois fois
par semaine sur la place principale
de Libourne propose de délicieux
produits régionaux. Le centre-ville
compte de nombreux cafés.

Si l'on peut apercevoir les vestiges des anciennes murailles ça et là dans la vieille ville, elles ont été pour la plupart remplacées par des quais bordés de platanes. C'est la présence des deux rivières qui donne à Libourne son charme si particulier, et les témoignages de l'ancienne bastide, notamment la tour du Grand Port, sont à rechercher à proximité des deux cours d'eau.

Libourne mérite d'être visitée à pied, et il serait dommage de se contenter d'un bref aperçu. À elle seule, la chapelle des carmélites, magnifiquement restaurée, et qui abrite maintenant un centre d'expositions, justifie une halte. La rue des Murs, la rue du Port-Coiffé et la rue des Chais datent des origines mêmes de Libourne, tout comme la ruelle Carreyron. Sur la place Abel-Surchamp se dresse l'Hôtel de Ville, édifié au XVe siècle, mais restauré au début du XXe. Il accueille la bibliothèque municipale qui recèle des ouvrages reliés précieux, dont le « Livre Velu », un manuscrit contenant les diverses ordonnances et privilèges de la ville et du canton, édictés par les souverains anglais entre le XIIIe et le XVe siècle. Sur la même place, le musée des Beaux-Arts présente une belle collection de peintures – notamment des œuvres des écoles flamandes et italiennes

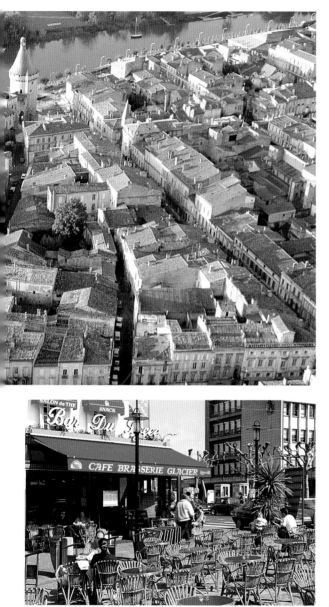

À gauche : *Les vignobles de Pomerol se déploient en éventail autour de la vieille ville de Libourne.*

RESTAURANTS

LIBOURNE
Le Chai
20, place Decazes
Tél. 57 51 13 59
Restaurant simple qui sert des plats régionaux à des prix très abordables.
Bistrot Chanzy
16, rue Chanzy
Tél. 57 51 84 26
Cuisine correcte. Menu à partir de 85 F.

SABLONS
Auberge de l'Isle
(Port Guîtres) *Tél. 57 69 22 58*
L'établissement sert une bonne cuisine régionale – *terrine de foie au sauternes*, ou *côte de bœuf sur la braise*, entre autres. Il loue aussi 7 chambres simples, à moins de 200 F.

du XVIᵉ siècle. La place est entourée de maisons anciennes et d'arcades. Un marché s'y tient trois fois par semaine.

C'est sur le quai Priourat, qui domine la Dordogne, que s'organise l'essentiel du marché vinicole de Libourne. Ce quai, qui n'est pas sans rappeler celui des Chartrons à Bordeaux, a conservé beaucoup de son caractère d'origine. Les chais, qui occupent quelques hectares, s'étendent loin derrière les simples devantures. Sur certains, on peut lire l'inscription « Les amis du vin », une sorte de « mot de passe » commercial servant à indiquer qu'ils possèdent aussi un magasin sur le quai.

SAINT-ÉMILION

Château Grand Barrail
Tél. 57 55 37 00, fax 57 55 37 49
Magnifiquement restauré après être
resté une trentaine d'années à l'abandon.
Chambres confortables (dans le château
datant du XIXᵉ siècle, comme dans l'aile
moderne) pour 850 F environ. Menus
à partir de 200 F, le soir, moins chers
à midi. Grand choix de plats classiques.
Merveilleux endroit où séjourner.
Hostellerie de Plaisance
Tél. 57 24 72 32, fax 57 74 41 11
L'établissement occupe une position
centrale, unique. Chambres confortables,

qui portent toutes le nom d'un château.
Certaines sont équipées de salles
de bains spectaculaires. À partir
de 500 F environ. Cuisine inégale
mais carte des vins impressionnante,
avec notamment tous les grands crus
de la région. Table d'hôtes à partir
de 130 F.
Logis des Remparts
Tél. 57 24 70 43, fax 57 74 47 44
Ce bon hôtel dans le centre loue
15 chambres confortables à partir
de 350 F.
Otelinn
Tél. 57 51 52 05
Hôtel moderne sur la route Libourne-
Castillon-la-Bataille. Chambres
tranquilles, confortables, à partir
de 300 F.
Palais Cardinal
Tél. 57 24 72 39
Excellent hôtel-restaurant de catégorie
moyenne. Chambres à partir de 300 F.

Ci-dessus, ci-contre et à droite :
Quelques aperçus de Libourne,
petite ville prospère de 25 000 habitants,
et centre commercial pour les vins
de Saint-Émilion, Pomerol,
Lalande-de-Pomerol et Fronsac.

De fait, le commerce du vin connut à Libourne une évolution beaucoup plus lente qu'à Bordeaux. Cela s'explique en
partie par l'éloignement de la Gironde. Trois marées étaient
nécessaires à un voilier pour remonter de l'embouchure du
fleuve à Libourne (en pratique, deux jours). Il fallut attendre
l'arrivée d'investisseurs corréziens, et celle des familles Moueix
ou Janoueix, notamment, au début du XXᵉ siècle, pour qu'un
réel esprit d'entreprise commerciale anime enfin la ville. Selon
les statistiques officielles, elle compte aujourd'hui plus de
250 entreprises vinicoles, un chiffre qu'il faudrait revoir à la
hausse, semble-t-il.

Les vignes ont largement disparu des environs de Libourne.
Des immeubles et des bureaux remplacent aujourd'hui les
vignobles. Seules quelques parcelles ont pu résister à l'invasion
du béton : les 160 hectares de l'appellation saint-émilion et
pomerol sont ainsi enclavés dans le Libournais. Par ailleurs, la
cité constitue un bon point de départ à la découverte du canton viticole de Fronsac, qui commence au-delà du pont, près
de la tour du Grand Pont. De là, la D670 permet de visiter
d'autres villes du vin : Saint-André-de-Cubzac, Bourg et Blaye
(*voir pages 127-135*).

Aussi étonnant que cela puisse paraître, la ville compte peu
de très bons restaurants. Mieux vaut pousser jusqu'à Saint-Émilion, même si l'on séjourne à Libourne. Ou, encore, se rendre
dans le petit village de Sablons. Empruntez la D910 (route
d'Angoulême), puis, avant d'arriver à Coutras, tournez à gauche

en direction de Guîtres. Le trajet ne fait seulement que 20 kilomètres et vous serez assuré de déguster un dîner somptueux en bordure de l'Isle, à l'Auberge de l'Isle.

À Guître, vous pourrez admirer une superbe église abbatiale de bénédictins. Sa construction s'étendit de la fin du XIᵉ siècle au XVᵉ siècle. À l'intérieur de l'édifice on remarquera une vierge ancienne en bois doré et un lutrin du XVIIᵉ siècle. Vous pourrez aussi visiter le Musée ferroviaire installé dans l'ancienne gare où sont regroupées diverses machines à vapeur en état de marche.

RESTAURANTS

Francis Goullée
Tél. 57 24 70 49
Ce plaisant restaurant offre une cuisine remarquable. Plats traditionnels remis au goût du jour. Menus à partir de 120 F. Carte des vins pratique, abordable.

Le Clos du Roy
Tél. 57 74 41 55
Sa renommé ne cesse de croître grâce à une cuisine inventive – *homard en barquette de tomate, dorade rôtie sur lie de vin,* etc. Le premier menu dépasse à peine les 100 F.

L'Envers du Décor
Tél. 57 74 48 31
Un véritable bar à vin. On peut y déguster au verre de nombreux vins originaires d'autres régions, voire d'autres pays. Cuisine traditionnelle en belle harmonie avec les crus proposés. Par beau temps, on peut manger sur la terrasse. Menus à partir de 100 F environ.

À VOIR

D'avril à fin septembre, un petit train emprunte les rues de Saint-Émilion et traverse les vignobles environnants. Il part de la collégiale, non loin de la place du Marché. La promenade dure une demi-heure.

Les macarons du pâtissier Blanchez sont considérés comme les meilleurs. Vous le trouverez dans la rue Guadet, à côté de la gendarmerie.

Durant la saison estivale, des renseignements sur le vin vous seront fournis au pavillon d'Accueil de Saint-Étienne-de-Lisse, et au pavillon du Vin de Saint-Pey-d'Armens.

Saint-Émilion

À droite : *La très belle ville de Saint-Émilion attire des milliers de visiteurs chaque année.*

SAINT-ÉMILION
La ville

La cité médiévale de Saint-Émilion est l'une des communes viticoles les plus pittoresques et photogéniques du monde. Elle s'étend sur une colline calcaire, d'où furent extraites les pierres qui servirent à la construction des églises, des monastères, des fortifications et des habitations de la région. D'où l'existence d'un gigantesque réseau de tunnels et de cavités taillés dans la roche, qui s'étend sous la ville et jusque sous les vignobles alentour. Pour certaines maisons, il est même possible de passer de l'une à l'autre en empruntant un passage souterrain. Par ailleurs, certaines grottes sont si vastes que l'on y organise de grands banquets pour plusieurs centaines de personnes, comme au château Villemaurine, à la lisière de la ville. Depuis des générations, nombre de ces grottes et de ces souterrains servent également à stocker le vin, et il arrive que les racines des vignes plantées juste au-dessus percent le plafond.

En temps de guerre, les carrières servaient de cachette. Sous la Terreur, de nombreux Girondins se réfugièrent dans la petite ville de Saint-Émilion. L'un d'eux, Marguerite-Élie Guadet, député à la Convention, fut finalement fait prisonnier et guillotiné à Bordeaux en 1793. Il donna son nom à la rue Guadet (la rue principale) et au château Guadet-Saint-Julien.

Les Girondins proscrits furent cachés par Madame Bouquey dans une sous-pente, puis dans une grotte nichée sous le jardin de son hôtel. La grotte des Girondins était accessible par l'orifice d'un puit adjacent à la demeure. C'est dans cette crypte glacée que les fugitifs purent échapper aux poursuites avant d'être finalement guillotinés.

Ci-dessus : *Vue plongeante sur les toits de Saint-Émilion.*
Page de droite, en haut et en bas : *Saint-Émilion compte d'excellents cafés et restaurants.*

SAINT-ÉMILION

VITICULTEURS RECOMMANDÉS

Château Angélus
Premier grand cru classé (B)
Tél. 57 24 71 39, fax 57 24 68 56
Saint-Émilion plein, riche,
avec une belle profondeur en bouche
qui développe une note boisée.
Classé en 1996.

Château L'Annonciation
Vin d'une impressionnante rondeur
en bouche, lisse, d'une générosité
due à sa saveur boisée.

Château L'Arrosée
Grand cru classé
Tél. 57 24 70 47
Vin élégant, d'une couleur intense,
d'une saveur délicate, généreuse.
Vignobles sur la pente sud-ouest
du plateau.

Château Ausone
Premier grand cru classé (A)
Tél. 57 24 70 94, fax 57 24 67 11
C'est l'un des deux premiers grands
crus classés « A ». Juchée en bordure
du plateau calcaire de Saint-Émilion,
la propriété doit son nom au poète
latin Ausone. Avec son bouquet
parfumé, sa finesse et sa fermeté
de texture, il peut rivaliser avec
les grands médocs.

Ici encore, les Romains furent les premiers à planter de la vigne. On peut voir des vestiges de vignobles romains aux châteaux de Bellevue et de Soutard. Il semble également que le poète latin Ausone possédait l'une des trois propriétés des environs – sur le site de l'actuel château Ausone.

La ville tire son nom de saint Émilian venu, au VIIIe siècle, s'installer en ermite dans une grotte (que l'on peut encore visiter), bientôt rejoint par des disciples. Ces derniers creusèrent un oratoire dans la roche, qui deviendra l'église monolithe, autour de laquelle le tout premier village se développa. Au Moyen Âge, Saint-Émilion fut conjointement administrée par un chapître ecclésiastique et un corps séculier, la Jurade. En 1289, Édouard Ier d'Angleterre confirma le statut de Saint-Émilion et définit sa surface de juridiction, qui correspond largement au tracé actuel du canton viticole.

Durant la guerre de Cent Ans (que les Français remportèrent finalement en 1453), Saint-Émilion dut soutenir nombre de sièges et passa à plusieurs reprises du camp des Anglais à celui des Français. Lors des guerres de Religion, le couvent des dominicains fut presque entièrement détruit. Il n'en reste aujourd'hui que les grandes murailles, au nord-ouest de la ville.

La Jurade exerce toujours mais limite exclusivement ses activités à la viticulture. Depuis 1948, elle représente les vignerons locaux dont elle défend les intérêts. C'est elle qui est chargée, entre autres, du Jugement du vin nouveau (en juin) et de déclarer le Ban des vendanges (afin d'en fixer le début), en septembre. Pour l'occasion, ses représentants sillonnent les vieilles rues de la ville dans leur robe écarlate, au grand bonheur des photographes amateurs.

La ville de Saint-Émilion est classée monument historique et l'usage de tout véhicule à moteur par les non-résidents est interdit dans pratiquement toutes les rues. D'où la présence de vastes parkings à la lisière de la ville, à l'extérieur des anciens murs. N'hésitez pas à consacrer une à deux heures à la visite de Saint-Émilion. De toute façon, vous ne pourrez pas tout voir ! Pour commencer, rendez-vous à l'Office du tourisme qui organise des visites guidées et pourra vous fournir toutes les brochures indispensables. À l'angle, se profile la Maison du vin, où vous pourrez obtenir tous les renseignements nécessaires sur les vignobles et les vins de la région, ou la visite des châteaux. Tous ceux que les vins de Saint-Émilion intéressent pourront assister aux conférences organisées à la Maison du vin, deux fois par jour, en juillet, août et septembre. La participation est de 100 F. Les conférenciers vous initieront aux secrets de la vinification, avec force détails et enthousiasme. On peut également assister à des cycles de cours plus exhaustifs avec repas compris, pour certains. C'est dans la rue Guadet qu'est installé le Syndicat viticole, qui veille aux intérêts du canton vinicole et de ses producteurs.

Visite de la ville
La place du Clocher, en face de l'Office du tourisme, offre un bon point de départ pour une visite de la ville. Sur la petite place du Marché, qui lui est adjacente, les reflets du soleil créent de superbes effets. De l'Hostellerie de Plaisance, un hôtel-restaurant réputé, place du Clocher, vous pourrez profiter de vues magnifiques sur la ville depuis sa splendide terrasse. La place tient son nom de son clocher haut de 67 mètres. La partie inférieure est romane (XIIe siècle), la partie médiane gothique (XIVe siècle), tandis que la flèche date du XVe siècle. En vous dirigeant vers la place du Marché, vous vous laisserez facilement tenter par les nombreuses boutiques de vins qui bordent les ruelles

Château Balestard la Tonnelle
Grand cru classé
Tél. 57 74 62 06, fax 57 74 59 34
Une très ancienne propriété évoquée par François Villon dans un poème, « le divin nectar qui porte le nom de Balestard ». Une vieille tour de pierre, restaurée, permet d'organiser des réceptions. Vin corpulent, étoffé, d'une belle consistance.

Château Barberousse
Tél. 57 24 74 24, fax 57 24 62 77
Ce château, dont les vignes ont une cinquantaine d'années, élabore un vin ferme, généreux, d'un rouge sombre.

Château Beauséjour
(Héritiers Duffau-Lagarrosse)
Premier grand cru classé (B)
Tél. 57 24 71 61, fax 57 74 48 40
Jolie propriété située sur le plateau ouest de Saint-Émilion qui offre un vin riche en tanin, concentré, mais raffiné. Il demande d'être attendu.

Château Beau-Séjour Bécot
Premier grand cru classé (B)
Tél. 57 74 46 87, fax 57 24 66 88
Cet excellent vin est une des étoiles du classement 1996. Juché sur le plateau de Saint-Émilion, le château possède de belles caves taillées dans le calcaire.

Château Belair
Premier grand cru classé (B)
Tél. 57 24 65 10
Il appartient à la propriétaire du château d'Ausone, Madame Heylett Dubois-Challon. Ce vin aux beaux arômes de chêne, soyeux, est l'un des meilleurs des côtes.

Château Bellevue
Grand cru classé
Tél. 57 51 06 07
Vin fruité, d'une longueur subtile en bouche, mais non dénuée de fermeté. Un classique.

Château Berliquet
Grand cru classé
Tél. 57 24 70 48, fax 57 24 70 24
Domaine imposant dans un agréable jardin, qui produit un vin robuste, harmonieux, soutenu en bouche.

Château Canon
Premier grand cru classé (B)
Tél. 57 24 70 79, fax 57 24 68 00
Un saint-émilion classique, remarquable,
élaboré à partir de vignobles plantés
sur un plateau calcaire. Il demande
à être attendu.

Château Canon-la-Gaffelière
Grand cru classé
Tél. 57 24 71 33, fax 57 24 67 95
Vin d'un rouge profond, très fruité,
d'une finale complexe, harmonieuse.

Château Cap de Mourlin
Grand cru classé
Tél. 57 24 70 83, fax 57 24 74 59 34
Vin charnu, de couleur intense,
de belle qualité.

Château Cheval-Blanc
Premier grand cru classé (A)
Tél. 57 55 55 55, fax 57 55 55 50
Le vignoble de ce charmant château
est proche des limites de Pomerol.
Le sol est particulièrement graveleux.
Le vin montre de l'opulence
et du raffinement, du corps et de
la subtilité. Les grands millésimes sont
légendaires – surpassant même
les premiers crus du Médoc.

Château Clos des Jacobins
Grand cru classé
Tél. 56 95 53 00, fax 56 95 53 01
Installé dans un ancien monastère
dominicain du XIIIᵉ siècle, aux splendides
caves creusées dans la roche.
Vin remarquable, complet, montrant
force, rondeur, tanin, bouquet boisé
et fruité. Il mérite d'être attendu.

Château Clos Saint-Martin
Grand cru classé
Tél. 57 24 71 09, fax 57 24 69 72
Production très limitée d'un grand vin
riche en tanin tout en gardant
de la souplesse.

Château La Clotte
Grand cru classé
Tél. 57 24 66 85, ou 57 24 72 52
Vin délicieux, agréablement vanillé
en bouquet et en bouche.

Château Corbin-Michotte
Grand cru classé
Tél. 57 51 41 64
Vin harmonieux, d'une belle fermeté,
d'une belle finale tannique.

Château Cormeil-Figeac
Tél. 57 24 70 53, fax 57 24 68 20
Vin bien élevé, souple, rond en bouche.

**Château Curé Bon
la Madeleine**
Grand cru classé
Tél. 57 74 42 38
D'une puissance remarquable. Charpenté,
intense, somptueux en bouche.

Château Daugay
Vin noble, généreux, aux nuances
boisées, vanillées et fruitées, lisse
et raffiné en bouche.

Château La Dominique
Grand cru classé
Tél. 57 51 31 36, fax 57 51 63 04
Beau vin, généreux et rond en bouche.

adjacentes. Ou par l'autre spécialité locale, de délicieux macarons vendus dans certaines pâtisseries. Ces petits gâteaux aux amandes sont cuits selon une recette du XVIIᵉ siècle, héritée de sœurs ursulines. Sur la place du Marché, vous pourrez acheter d'originaux souvenirs sous la forme de diverses vignes bonsaï.

Toujours sur cette même place se trouve l'entrée de l'église monolithe, unique en Europe. Elle fut taillée dans les rochers par des bénédictins aux XIᵉ et XIIIᵉ siècles. Transformée en fabrique de salpêtre durant la Révolution, les fresques de ses murs furent presque entièrement détruites. En 1837, l'église fut restaurée dans ses fonctions initiales et, aujourd'hui, elle est seulement utilisée pour certaines cérémonies et réunions, comme celles de la Jurade. C'est un lieu impressionnant, mais passablement austère et humide. À côté, s'élève la petite chapelle de la Trinité, construite au-dessus de l'ermitage de saint Émilian. On peut y voir son lit de pierre, son autel, et la source à laquelle il étanchait sa soif et qui, lorsqu'il s'installa dans la grotte, remonta sur son cours pour le désaltérer. Selon une

À gauche : *L'entrée du château Ausone. C'est l'un des deux premiers grands crus de Saint-Émilion, l'autre étant le château Cheval-Blanc. Ausone produit des vins très parfumés pouvant rivaliser avec les plus grands du Médoc.*

Château Figeac
Premier grand cru classé (B)
Tél. 57 24 72 26, fax 57 74 45 74
Le domaine regroupait autrefois les vignobles du Cheval-Blanc et plusieurs autres propriétés. Les vignes bénéficient de leur emplacement sur un plateau de graves et d'un encépagement à 70 % de cabernet (moitié sauvignon, la plus forte proportion pour un saint-émilion). C'est un vin à la finale lisse comme la soie, vraiment exceptionnel. Il peut se boire jeune, mais se montre de bonne garde.

Château La Fleur
Tél. 57 74 53 41
D'une belle saveur, charnu, aux arômes de vanille et à la finale tout en délicatesse.

Château Fonplégade
Grand cru classé
Tél. 57 74 43 11, fax 57 74 44 67
Château d'une belle présence, qui donne un vin charnu et fruité, le tout avec élégance.

Château Franc Grâce-Dieu
Tél. 57 24 70 79
Vin ferme, bien structuré, d'une robe intense, tannique. Le château appartient aux propriétaires de château Canon (premier grand cru classé).

Château Franc-Mayne
Grand cru classé
Tél. 57 24 62 61, fax 57 24 68 25
Vin élégant, robuste, d'un beau rouge nuancé.

Château La Gaffelière
Premier grand cru classé (B)
Tél. 57 24 72 15, fax 57 24 65 24
Le vin souple, charnu, vieillit dans les chais en face du château néo-gothique. S'est surtout affirmé après 1982.

Château Haut-Quercus
Tél. 57 24 70 71
L'Union de Producteurs, une coopèrative, a visé avec ce vin la grande qualité.

Château Larmande
Grand cru classé
Tél. 57 24 71 41, fax 57 74 42 80
Vin non dénué de charme, bien épanoui.

Château Magdelaine (Libourne)
Premier grand cru classé (B)
On s'intéressera ici davantage au vin qu'au château. D'une qualité remarquable, presque parfait, c'est un vin généreux et de caractère. Il compte un très fort pourcentage de merlot (80 %). La propriété appartient à Jean-Pierre Moueix qui détient notamment la majeure partie du château Petrus.

légende, invoquer l'aide de saint Émilian aidait les épouses stériles à redevenir fécondes.

La petite rue de la Cadène, qui descend la colline, est pavée de pierres qui servirent de lest, dit-on, aux navires anglais venus de Londres chercher du vin.

Bien au-dessus de la ville, au sud, se dresse la tour du château du Roi, aux murs d'une épaisseur d'au moins deux mètres. Tous les ans, la Jurade y annonce le début des vendanges. Il fut construit par Henri III d'Angleterre, et c'est le seul donjon qui subsiste en Gironde. Plus en amont, au nord de Saint-Émilion, vous pourrez boire un verre de mousseux, une production locale, au milieu des vestiges du cloître, datant du XIVe siècle, du couvent des Cordeliers (monastère des Frères mineurs). À proximité, l'arcade ogivale de la porte de la Cadène séparait la basse et la haute ville. Lorsque l'on continue, plus au nord, on arrive à la porte Bourgeoise, que jouxtent les ruines du Palais-Cardinal. Cet édifice roman fut la résidence du cardinal Saint-Luce, le premier doyen de Saint-Émilion.

Ci-dessus et en bas : *Une promenade dans Saint-Émilion permet d'en découvrir toutes les richesses historiques.*
Page de droite, en haut : *Les « biscuits d'amandes » sont une spécialité locale préparée avec des amandes pilées, du sucre et des blancs d'œufs.*
Le château Cheval-Blanc est situé à proximité de la limite avec Pomerol.

Château Mauvezin
Grand cru classé
Tél. 57 24 72 36, fax 57 74 48 54
Vin d'une chair lisse qui développe en bouche élégance et raffinement.
Château Moulin du Cadet
(Libourne) Grand cru classé
Vin montrant de la force, du charme et du raffinement.
Château Pavie
Premier grand cru classé (B)
Tél. 57 55 43 43, fax 57 24 63 99
Juché sur la pente sud-ouest du plateau. Le plafond des caves creusées dans le calcaire laisse apparaître les racines des vignes. Vin élégant, souple, d'un beau bouquet.
Château Puy-Razac
Tél. 57 24 73 32
Vin exemplaire d'un grand raffinement.
Château Rolland-Mailland
Vin d'un rouge profond, généreux en bouche, de structure ferme.
Château Soutard
Grand cru classé
Tél. 57 24 72 23, fax 57 24 66 94
Vin élégant, pas très différent des plus grands crus.

Les villages environnants

Saint-Émilion n'est pas la seule ville à bénéficier de cette appellation. Des vins produits par huit autres communes, ou en partie, sont vendus sous cette dénomination. La plupart des touristes se contentent de visiter Saint-Émilion, mais les autres bourgs méritent le détour, non seulement pour leur pittoresque mais aussi pour leur tranquillité.
Vous pouvez commencer par Saint-Christophe-des-Bardes (*voir carte page 101*), au nord-est de Saint-Émilion. Vous y verrez notamment une église romane, ornée de nombreuses sculptures et bas-reliefs. Vous pourrez aussi visiter le château Laroque, l'un des plus anciens du canton, comme l'atteste sa tour médiévale. Le bâtiment principal date du XVIIIe siècle.

À côté, au château Ferrande, vous pourrez emprunter un vaste réseau de passages souterrains dont une partie remonte à la Préhistoire. Vous y verrez également une source. Vous pourrez ensuite visiter l'église de Saint-Hippolyte (XIVe siècle), juchée sur une colline. En empruntant la D245, vous arriverez bientôt à Saint-Étienne-de-Lisse, avec son église romane fortifiée. Le village occupe une situation magnifique au pied d'un plateau calcaire. Continuez votre périple par la D670, dans la direction de Libourne, puis prenez la bifurcation pour Saint-Sulpice-de-Faleyrens, où l'église remonte au XIe siècle. Entre cette église et Pierrefitte se dresse le château Lescours, où séjournèrent de nombreux rois de France, dont Henri de Navarre. Au nord de Saint-Sulpice, près du petit port fluvial de

Pierrefitte, vous pourrez admirer le menhir le mieux conservé du département. Ce bloc de pierre, de 5 mètres de haut et de 3 mètres de large, de la forme d'une main, a plus de cinq mille ans. De retour dans les environs immédiats de Saint-Émilion, vous pourrez visiter le hameau de Saint-Martin-de-Mazerat, avec sa pittoresque petite église et ses quelques châteaux réputés, comme château Canon à proximité.

Les vins

Les vins de Saint-Émilion, exclusivement des rouges, sont souvent puissants. La plupart peuvent se boire immédiatement, mais sont assez charpentés pour attendre quelques années en bouteille. L'appellation, la plus vaste des grands vins du Bordelais, est la seule à posséder son propre système de classification, créé en 1955, en principe révisé tous les dix ans. La précédente révision, en 1986, avait entraîné de nombreuses polémiques. Le nouveau classement 1996 semble avoir évité le scandale et confirme deux premiers grands crus classés A (château-ausone et château cheval-blanc), sélectionne onze premiers grands crus classés B (angélus et beau-séjour Bécot, deux des meilleurs vins de la région, ont enfin accédé au rang qu'ils méritaient) et cinquante-cinq grands crus classés, (parmi lesquels les châteaux la gaffelière, la dominique, la soutard, larmande) à ne pas confondre avec la catégorie saint-émilion « grand cru » mais non « classé ».

Château Tertre-Daugay
Grand cru classé
Tél. 56 59 30 08
Couleur intense, force et complexité dominent ce vin.
Château Le Tertre Rôtebœuf
Vin concentré, de couleur intense, charnu, non filtré, élaboré à partir de raisins cueillis très tardivement.
Château Troplong-Mondot
Grand cru classé
Tél. 57 55 32 05, fax 57 55 32 07
Vin puissant, d'une grande élégance, d'une très longue finale, aux délicates nuances boisées.
Château Villemaurine
Grand cru classé
Tél. 57 74 46 44
Vin généreux, concentré, charnu et riche. Les splendides caves du château servent à accueillir vins et réceptions.

VITICULTEURS RECOMMANDÉS DANS LES VILLAGES ENVIRONNANTS

Château Fombrauge
(Saint-Christophe-des-Barbes).
Tél. 57 24 77 12
Vin coulant, généreux, stable.
Château Puyblanquet-Carrille
(Saint-Christophe-des-Barbes)
Tél. 57 24 73 32
Vin d'un rouge presque noir aux délicats arômes fruités, vif en bouche, avec une belle finale.
Château Jacques-Blanc
(Saint-Étienne-de-Lisse)
Tél. 57 40 18 01
À l'avant-garde de la viticulture moderne dans la région. Vin d'une belle longueur en bouche, aux arômes concentrés de fruits.
Château de Candale
(Saint-Laurent-des-Combes)
Tél. 57 24 72 97
Vin frais, boisé (avec une note de vanille) et généreux.
Château Bonnet
(Saint-Pey-d'Armens) *Tél. 57 47 15 23*
Un vin excellent. Riche en bouquet et d'une qualité remarquable.

Pomerol

—··—·—— Limite du canton

—··—·—— Limite de la commune

CHÂTEAU Château de première qualité

Château Autres bons châteaux

Vignoble du premier cru

Autres vignobles

Bois

Courbe de niveau, intervalle 5 mètres

À gauche : *Cette propriété de Pomerol est située sur le haut plateau au sol très graveleux. Le vin est élaboré dans 50 % de chêne neuf.*

POMEROL

Bien que relativement petite, la commune de Pomerol compte 175 viticulteurs. Les vignobles occupent par conséquent une surface minuscule : le château de Sales, la plus vaste propriété, ne dépasse pas les 47,5 hectares. Cela n'empêche pas la commune de produire plusieurs vins mondialement connus. De fait, le château-petrus (le meilleur de tous les pomerols) fait partie, avec le château d'Yquem et la romanée-conti, un bourgogne, des vins les plus chers du monde.

Les huit petits hameaux qui forment le seteur de Pomerol sont administrés depuis la petite ville de Pomerol, identifiable de loin à la flèche de son église. Celle-ci, avec ses cent piliers, remplace l'église du XIIe siècle construite par les hospitaliers de Saint-Jean-de-Jérusalem (devenus par la suite les chevaliers de Malte) qui, à l'époque des croisades, offraient aux voyageurs et aux pèlerins, abri et assistance. Pomerol fut choisie parce que située sur la route en direction de Saint-Jacques-de-Compostelle. Des panneaux marqués d'une croix de Malte indiquent le trajet emprunté autrefois par les pèlerins, à proximité notamment des châteaux Beauregard, Moulinet et La Commanderie. Les hospitaliers stimulèrent certainement la viticulture dans la région, car le vin leur était nécessaire pour les offices religieux et pour ses « vertus » médicinales. C'est pourquoi on attribua à la confrérie locale le nom de « Confrérie des Hospitaliers », dont les membres arborent, dessinée sur leur robe, la croix de Malte.

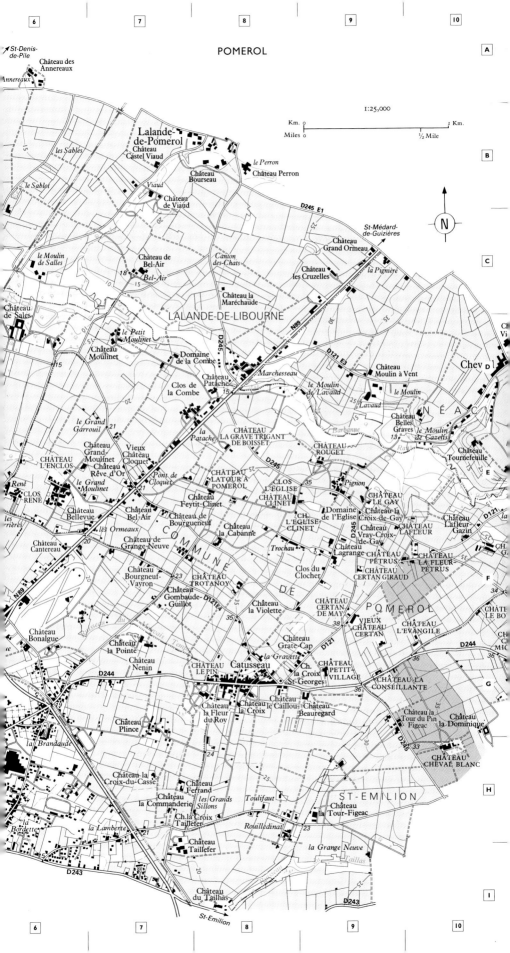

La première impression qui se dégage à la dégustation de nombreux pomerols est leur plus grande homogénéité, si on les compare aux vins des autres cantons du Bordelais. La plupart montrent plus de velouté, de charme et de chaleur et sont en général des vins de longue garde. Et cela malgré les grandes différences de sol que présente cette petite aire d'appellation qui est la seule des grandes catégories pour laquelle la hiérarchie des crus n'est pas officialisée par un classement.

Au cœur du secteur s'étend un plateau argilo-graveleux, d'une altitude d'environ 35 mètres, où l'on produit des vins puissants, généreux, d'une brillante couleur rubis foncé, comme, par exemple, le château-pétrus. Une étroite bande de terre qui mêle argile, graves et sable, entoure ce plateau. Les vignes qui y poussent donnent des vins robustes, intenses, mais souvent moins ronds en bouche, moins somptueux que les précédents. Plus à l'ouest, le terroir est plus plat, plus sablonneux, avec des vins plus légers, plus souples. Un autre élément peut aussi intervenir : la présence d'un sous-sol ferrugineux, appelé crasse de fer, réputé pour son influence bénéfique sur les vins – c'est ainsi que l'on explique notamment la saveur truffée de certains pomerols.

POMEROL

RESTAURANT

Chez Servais
(Artigues-de-Lussac) *Tél. 57 24 31 95*
« Restaurant de l'Aérodrome »,
sur la N89, entre Libourne et Périgueux.
Un endroit agréable, en particulier pour
le déjeuner. Importante carte de vins
de Pomerol, de Saint-Émilion et des communes satellites. Menus à partir de 130 F.

VITICULTEURS RECOMMANDÉS

Château Beauregard
Tél. 57 51 13 36, fax 57 25 09 55
L'un des seuls châteaux de Pomerol
à comporter douves, tours et escalier
tournant. Il date du XVIIe siècle.
Vin élégant, équilibré.

Château Le Bon Pasteur
Tél. 57 51 10 94
Vin généreux, excellent, élaboré par
un œnologue réputé, Michel Rolland.

Château Certan de May
Tél. 57 51 41 53
Pomerol remarquable produit par
une petite propriété en face du Vieux
Château Certan. Vin qui montre
de la fermeté et de la grâce.

Château Clinet
Tél. 56 68 55 88, fax 56 30 11 45
Pomerol de grande classe.

Château La Conseillante
Tél. 57 51 12 12, fax 57 51 42 39
Propriété à la frontière de Saint-Émilion
et de Pomerol. Vin ferme, mais délicat,
très pur, soyeux, au bouquet fin
et généreux.

Château La Croix de Gay
Tél. 57 51 19 05, fax 57 74 15 62
Vin splendide doté d'élégance
et de charpente.

Château L'Église Clinet
Tél. 57 25 99 00, fax 57 25 21 96
Vin riche, nuancé, d'un rouge profond,
crémeux, rond en bouche et raffiné.

Château L'Évangile
Tél. 57 51 45 95, fax 57 51 45 78
Le vignoble (propriété des Rothschild
depuis 1990) borde le château Pétrus.
Vin splendide, racé, avec un parfum
de violette.

Château La Fleur-Pétrus
Tél. 57 51 78 96
Château aux volets de couleur jaune
d'œuf éclatante. Vin complexe, agréable.

Le château Beauregard (XVIIᵉ siècle) mérite le détour. C'est l'une des plus belles propriétés viticoles de la région, avec son château entouré de douves (ce qui est plutôt rare dans le vignoble de Pomerol) et d'un parc immense. Dans les années vingt, la famille Guggenheim en fit reproduire une copie exacte à Long Island. La propriété a été achetée en 1991 par le Crédit Foncier de France. Elle produit un second vin, le benjamin de Beauregard.

Château La Grave
Vin qui montre de la finesse et une note de fruits mûrs en bouche.

Château Lafleur-Gazin
Tél. 57 51 78 96
Vin chaleureux, bien fait, d'un rouge profond, généreux et fruité.

Château Latour à Pomerol
Tél. 57 51 78 96
Pomerol presque corpulent, généreux, note de tanin suave et d'arômes de fruits mûrs.

Château Petit Village
Tél. 57 51 21 08, fax 57 51 87 31
Excellent pomerol dans lequel tout est généreux. Très fruité dans les premières années, avec une belle note boisée à la finale.

Château Pétrus
Tél. 57 51 17 96
Les visiteurs sont souvent déçus par les dimensions modestes du « château » du plus célèbre des pomerols. Une impression qui disparaît dès qu'ils ont goûté à ce vin d'un rouge presque noir, d'une intensité exceptionnelle. Sa qualité explique son coût – trois fois celui des médocs premiers grands crus. Les Moueix et leur équipe veillent jalousement sur les vignobles (95 % de merlot) et l'élaboration du vin (ils possèdent aussi Feytit-Clinet, La Fleur-Pétrus, La Grave Trigant de Boisset, Lagrange, Latour à Pomerol et Trotanoy).

Château La Pointe
Vaste propriété au croisement de deux routes. Le château domine un parc magnifique qui compte quelques arbres centenaires. Vin coloré, de belle sève, qui mérite d'être attendu.

Château de Sales
Tél. 57 51 04 92, fax 57 25 23 91
Château et parc impressionnants pour cette propriété, la plus grande de Pomerol. Vin élégant, structuré, aux arômes délicats, d'une qualité toujours égale.

Château Trotanoy
Tél. 57 51 78 96
Propriété perchée sur le plateau central de Pomerol. Le vin montre plus de grandeur que la gentilhommière : concentré, d'un rouge profond, d'une belle ampleur en bouche, charnu et d'un fruité tout en finesse. Si château-pétrus est l'empereur des pomerols, le trotanoy en est le roi.

Château La Violette
Tél. 57 51 49 78
Vin délicieux qui dégage de forts arômes de violette. Un pomerol d'une extrême délicatesse, raffiné, qui vieillit bien.

Château Vray Croix de Gay
Tél. 57 51 64 58
Vin mal connu, intense et élégant.

Vieux Château Certan
Tél. 57 51 17 33, fax 57 25 35 08
Le plus vieux vignoble de Pomerol (XVIᵉ siècle). Un vin sans défaut, charmeur, élégant, qui en vieillissant gagne en arôme et en complexité. Facilement reconnaissable à son étiquette rose.

Page de gauche, en haut :
Le château La Pointe.
En haut : *Le château La Croix de Gay. Les récents investissements, installations et expertises ont grandement amélioré la qualité de ses vins.*

Ci-dessus : *Miches de pain de campagne.*
Ci-contre : *Moutons paissant à la lisière des vignobles. Une scène assez rare dans le Libournais, les vignes occupant la majorité des terres.*

HÔTEL

Château de Roques
Tél. 57 74 55 69
Loue d'agréables chambres d'hôtes
dans Puisseguin, au milieu des vignobles.

VITICULTEURS RECOMMANDÉS

LUSSAC-SAINT-ÉMILION

Château de Barbe Blanche
Tél. 57 74 60 54, fax 57 74 58 60
Vin épanoui, rond en bouche,
qui montre véritablement du corps.

Château du Courlat (Libourne)
Tél. 57 51 62 17, fax 57 51 28 28
La cuvée Jean-Baptiste est élaborée à
partir de vieilles vignes. Vin d'une forte
structure, avec une belle ampleur, sans
pour autant perdre de son raffinement.

Château Mayne-Blanc
Tél. 57 74 60 56, fax 57 74 51 77
En bouche, la cuvée Saint-Vincent est très
satisfaisante, avec de bons tanins à la finale.

Château Vieux Busquet
Tél. 57 51 03 65
Vin glissant, rond en bouche.

MONTAGNE-SAINT-ÉMILION

Château La Fleur Musset
Vin de bonne rondeur, avec de belles
notes charnues en finale.

Château Maison Blanche
Tél. 57 74 62 18, fax 57 74 58 98
Vin d'une parfaite égalité, structuré,
à la finale équilibrée riche en tanin.

Château Roudier
Tél. 57 74 62 06
Vin agréable, long en bouche joint
à de belles nuances fruitées.

Vieux Château Négrit
Vin équilibré, charnu, d'une bonne
longueur en bouche.

Vieux Château Saint-André
(Libourne)
Tél. 56 39 79 80
Vin produit par l'un des plus grands
œnologues du Libournais,
Jean-Claude Berrouet.
Excellent montagne-saint-émilion.

LES SATELLITES DE SAINT-ÉMILION

De l'autre côté de la Barbanne, qui forme la frontière septentrionale entre Saint-Émilion et Pomerol, sont disséminées les communes satellites autorisées à faire suivre leur nom de celui de Saint-Émilion : Lussac, Montagne, Puisseguin et Saint-Georges. Parsac en faisait autrefois partie, mais a été depuis rattachée à celle de Montagne-Saint-Émilion.

Lussac-Saint-Émilion

Lussac se profile à 9 kilomètres de Saint-Émilion. Au centre de ce petit bourg, vous pourrez admirer une étonnante représentation d'un atome fait de barriques de vins. Ne manquez pas également de vous rendre à la Maison du vin, qui occupe un bâtiment du XIXe siècle, avec ses caves voûtées et ses poutres en chêne. L'église est ornée d'un bas-relief représentant des scènes de vendanges. Lussac accueille chaque année un événement sportif bien particulier : le triathlon international de barriques, au cours duquel les fûts sont poussés de manière pour le moins spectaculaire. La compétition se déroule le second samedi de septembre, suivie, le dimanche, d'une foire artisanale et d'une brocante. Tous les jeudis se tient également un marché. Les deux autres sites offrant quelque intérêt sont le château Lussac et le menhir de Picampeau, ou pierre des Martyrs, qui autrefois servait de pierre sacrificielle.

Montagne-Saint-Émilion

C'est de loin la plus importante des communes satellites, du moins en superficie.

Au milieu du village, se dresse une église étonnante dont la porte centrale est surmontée de têtes fantastiques. Lorsqu'on se tient sur les marches de cette église, on se trouve à la hauteur exacte de la girouette de l'église de Saint-Émilion (Montagne occupe une colline très élevée pour la région).

Dans l'Écomusée du vigneron-paysan jouxtant la Maison du vin, vous pourrez tout apprendre sur « les petites misères et les grands mystères du vin, de la vigne et du vigneron ».

Puisseguin-Saint-Émilion

Entre Lussac et Puisseguin, le paysage d'une grande beauté n'est pas sans rappeler la Toscane avec ses collines et ses cyprès. Le nom de Puisseguin vient de Puy qui signifie « colline », et de Seguin, un soldat de Charlemagne qui s'installa à cet endroit vers l'an 800. Ce n'est qu'un millénaire plus tard que l'on commença à planter des vignes. Le village est assez rustique – la Maison du vin fait également fonction de bureau de tabac.

Saint-Georges-Saint-Émilion

Les viticulteurs de cette commune peuvent utiliser, comme ils le souhaitent, l'appellation de montagne-saint-émilion ou la leur. Son cru le plus célèbre est produit par le château Saint-Georges, la plus belle demeure à des kilomètres à la ronde, de style Louis XVI. Il présente une grande ressemblance avec le Grand Théâtre de Bordeaux, construit par le même architecte, Victor Louis. Le bâtiment domine la campagne environnante et vous permet de vous orienter. Le village possède une église exceptionnelle du XIIᵉ siècle, construite sur des ruines gallo-romaines. À noter également le clocher carré à quatre étages. Le jardin du curé, à côté, abrite quelques plantes rares.

Page de gauche : *Fromages tradition-nels proposés sur les marchés de la région.* En bas : *Les vignobles de Puisseguin-Saint-Émilion.* Ci-dessus : *Un détail de l'église de Saint-Georges.*

PUISSEGUIN-SAINT-ÉMILION
Château l'Abbaye
Tél. 57 74 63 12
De puissants arômes : vin fruité, tannique.
Château Beaulieu
Vin sain, vif, qui vieillit bien en bouteille.
On peut aussi le boire sans attendre.
Château Branda
Tél. 57 74 62 55
Vin élégant aux riches arômes de fruits rouges bien mûrs.
Château Durand-Laplagne
Tél. 57 74 63 07
La cuvée sélection est d'une belle couleur, avec une longue finale aux notes très boisées.
Château Lafaurie
(Artigues-de-Lussac)
Tél. 57 24 33 66
Après d'importantes rénovations, cette propriété donne un vin robuste, très riche en tanin.
Château des Laurets
Tél. 57 74 63 40, fax 57 74 65 34
Vin tannique, d'une structure très ferme.
Château de Roques
Tél. 57 74 69 56
Vin raffiné, long en bouche.

SAINT-GEORGES-SAINT-ÉMILION
Château Belair-Saint-Georges
(Montagne)
Tél. 57 74 65 40, fax 57 74 51 50
Vin bien équilibré qui demande à attendre quelques années.
Château Bellone Saint-Georges (Montagne)
Tél. 57 74 64 66
Vin fruité avec une nuance vanillée.

Château Calon
Tél. 56 96 28 57
Vin d'une couleur soutenue, rond en
bouche, d'une certaine fermeté tannique.

Château Cap d'Or
Tél. 57 40 41 54, fax 57 40 41 52
Vin très fruité qui développe une
nuance boisée.

Château Saint-Georges
(Montagne) *Tél. 57 74 62 11*
Vin du canton montrant le plus
de noblesse, riche, généreux et puissant.

**Château Tour du Pas
Saint-Georges**
À noter les deux remarquables
sculptures en bois à l'extérieur de la cave.

Ci-dessus : *Préparation d'un repas
dans une cuisine traditionnelle
de Montagne-Saint-Émilion.*
À droite : *Un vignoble des Côtes
de Francs. Cette belle région
dont l'appellation date de 1967,
produit des vins de très bonne qualité.*
Ci-dessous : *La jolie cour du château
de Francs.*

CÔTES DE CASTILLON

HÔTEL

Hostellerie du Château Lardier
Tél. 57 40 54 11
Hôtel-restaurant agréable, tranquille,
dans le hameau de Ruch. Belles chambres
pour 200 F. Cuisine honnête avec des
menus à partir de 100-200 F.

RESTAURANT

La Péniche
Tél. 57 40 30 30
Restaurant sans prétention, sur le quai,
en bordure de la Dordogne. Idéal pour
le déjeuner (85 F environ).

À VOIR

La foire annuelle du vin de Castillon-la-
Bataille se déroule généralement durant
la seconde quinzaine de juillet.

À la sortie de Castillon, à l'est, se dresse
la chapelle érigée en l'honneur de John
Talbot, général anglais qui fut tué devant
Castillon en 1453. La bataille qui opposa
les troupes françaises et anglaises est
« représentée » chaque année à Belvès-
de-Castillon, un peu plus au nord.
Pour vous y rendre, empruntez la D119.

CÔTES DE CASTILLON

C'est près de Castillon, le 17 juillet 1453, que Français et Anglais
se livrèrent une bataille décisive. Les premiers l'emportèrent et
l'Aquitaine redevint française après trois siècles de domination
anglaise. En 1953, Castillon commémora ce cinq centième anni-
versaire, en faisant accoler à son nom celui de « la Bataille ».

Ville fortifiée, flanquée d'une imposante forteresse, Castillon
était autrefois un important port fluvial. Aujourd'hui, il ne reste
de ce passé prestigieux que des vestiges du mur d'enceinte près
de la porte de Fer, sur la rive sud de la Dordogne, au sud. L'église
date du XVIIIe siècle et la mairie occupe un ancien hôpital.

BELVÈS-DE-CASTILLON
Château Puycarpin
Tél. 57 97 07 20, fax 57 97 07 27
Vin fruité, d'une belle couleur, qui offre
concentration et harmonie en bouche.

SAINTE-COLOMBE
Château Poupille
Tél. 57 74 45 30
Vin d'un bel arôme, d'une grande
élégance et riche en tanin. Équilibre
et longueur en bouche avec des
notes fruitées.

SAINTE-LAURENT-DES-COMBES
Domaine des Rochers
Tél. 57 24 70 04
Vin généreux, somptueux, d'une incon-
testable richesse aromatique.

SAINT-MAGNE-DE-CASTILLON
Château Peyrou
Tél. 57 24 72 05
Vin excellent produit par des vignes
vieilles de plus de 40 ans.

SAINT-PHILIPPE-D'AIGUILHE
Château d'Aiguilhe
Tél. 57 40 60 10, fax 57 40 63 56
Propriétaires espagnols.
Château Lamartine
Finesse de bouquet jointe à une légère
note fauve, et des arômes chocolatés.
Longue concentration en bouche.
Château de Saint-Philippe
Tél. 57 40 60 21, fax 57 40 62 28
Vin classique, fin, d'une belle rondeur
en bouche, équilibré.

LES SALLES-DE-CASTILLON
Château de Clotte
Tél. 57 40 60 15
Impressionnantes caves ; vin rouge
structuré élevé dans la tradition.

CÔTES DE FRANCS

VITICULTEURS RECOMMANDÉS

FRANCS
Château de Francs
Tél. 57 40 65 91, fax 57 40 63 04
Vin aux riches arômes de fruits rouges,
douceur et délicatesse tannique.

SAINT-CIBARD
Les Charmes-Godard
Tél. 57 40 61 04
Le vin rouge s'était déjà révélé
d'une belle richesse. Le blanc, d'arôme
agréable, montre du fruité
et de la vigueur.
Château La Claverie
Tél. 57 40 63 76, fax 57 40 66 08
Propriété de Nicolas Thienpont. Produit
un vin simple et plaisant.
Château Puyguéraud
Tél. 57 40 61 04, fax 57 40 66 08
Jouxte La Claverie. Même propriétaire.
Vin subtil, aux arômes parfumés.

Aujourd'hui, Castillon abrite une base aérienne, à proximité de Saint-Philippe-d'Aiguilhe. Mais vous vous intéresserez sur-tout au château-d'eau qui se dresse non loin ; il est ouvert au public et, du sommet, on jouit d'une vue magnifique sur toute la région.

Autre destination qui s'impose : Sainte-Colombe. Aupara-vant, vous traverserez Saint-Genès-de-Castillon, avec son palais de Justice datant du XVe siècle. À Saint-Magne-de-Castillon, enfin, au nord-ouest de Castillon-la-Bataille, une autre église mérite une visite.

Les vins de Castillon furent autorisés en 1989 à abandonner l'appellation de bordeaux supérieur pour adopter leur propre dénomination, qui rassemble toutes les communes satellites de Saint-Émilion.

CÔTES DE FRANCS

C'est un petit secteur qui tire son nom du village de Francs. Le château de Francs date, pour ses parties les plus anciennes, du XIIe siècle, le reste remontant aux XIVe et XVe siècles. Deux familles originaires de Saint-Émilion y produisent d'excel-lents vins riches et bouquetés.

Au nord de Francs, on a mis au jour les vestiges d'une ville gallo-romaine. Vous y verrez aussi une église romane. Si vous continuez vers le sud, par la D123, vous arriverez bientôt à Saint-Cibard, qu'occupent deux propriétés vinicoles impor-tantes (Charmes-Godard et Claverie). L'église est du XIIe siècle.

LALANDE-DE-POMEROL

VITICULTEURS RECOMMANDÉS

Château de Bel-Air
Tél. 57 51 40 07. Vin équilibré
aux nuances charnues, fruitées.
Château Grand Ormeau
Tél. 57 25 30 20, fax 57 25 22 80
Vin d'une couleur intense, qui développe
une agréable note boisée.
Château Haut-Goujon (Montagne)
Tél. 57 51 50 05

Vin souple, équilibré, riche en tanin ;
peut se boire immédiatement
mais évolue bien s'il est attendu.
Clos des Moines
Tél. 57 51 40 41
En bouche, souple, généreux, charnu,
avec une certaine rusticité.
Château de Viaud
(Lalande-de-Pomerol)
Tél. 57 51 17 86, fax 57 51 79 77
L'une des plus vieilles propriétés
de Lalande. Vin fin, au bouquet charmeur
et d'une belle fermeté dans la finale.
Château Chevrol Bel-Air
(Néac) *Tél. 57 51 10 23.* Vin puissant
avec une légère note de chêne.
Château les Hauts-Conseillants
(Néac) *Tél. 57 51 62 17, fax 57 51 28 28*
On s'est attaché à conserver les
méthodes de viticulture traditionnelles :
vin merveilleusement aromatique,
aux délicieuses notes de vanille
et de fruits. De longue garde.
Château Les Templiers
(Néac). Vin bien structuré, aux délicates
notes fruitées.
Château Vieux Chevrol (Néac)
Vin plein, fruité, d'une belle ampleur
en bouche, à la finale puissante.

*Ci-dessus : Le domaine de L'Église
produit un pomerol très structuré
et d'une grande richesse aromatique.
Ci-contre : Un paysage forestier
dans les côtes de Castillon.
Page de droite : Une vieille église
dans le canton de Pomerol.*

À l'ouest de Saint-Cibard, sur une colline près de Monbadon, se dresse un château féodal du XIVᵉ siècle.

LALANDE-DE-POMEROL

Cette appellation concerne exclusivement les vins produits dans les communes de Lalande et de Néac. Ces deux villages se profilent au nord de Pomerol et de Saint-Émilion, séparés par la Barbanne, un petit cours d'eau.

Lalande-de-Pomerol (également sur la route des pèlerins pour Saint-Jacques-de-Compostelle) est associée au vin depuis le Xᵉ ou le XIᵉ siècle. La très belle petite église, avec son curieux beffroi ouvert, date du XIIᵉ siècle. Un peu plus récent, le cimetière montre une croix du XVᵉ siècle. L'église est le seul édifice de la région dont l'histoire se rattache à celle des chevaliers de la Sainte-Croix : les règles de l'ordre sont peintes dans la nef. Le château des Templiers, tout proche, est un autre témoignage de leur présence dans la région.

Les vins de Lalande étaient autrefois classés sous l'appellation de pomerol, ceux de Néac sous celle de néac-pomerol. Dans les années vingt, on les autorisa à prendre le nom de lalande-de-pomerol, retirant le nom de pomerol à celui de néac. Officiellement, l'appellation néac existe toujours, mais elle n'est plus appliquée depuis 1954, depuis qu'il fut décidé que les vins de Néac pourraient porter le nom de lalande-de-pomerol. Ce sont généralement des vins moins généreux, moins nobles que ceux de Pomerol, mais leur prix est aussi nettement moins élevé.

FRONSAC

 RESTAURANT

La Gabarre
Tél. 57 51 99 91
Restaurant en bordure de la Dordogne,
sur la D670. Premiers menus,
au déjeuner, à moins de 100 F.

VITICULTEURS RECOMMANDÉS

FRONSAC

Château Barrabaque
Tél. 57 51 31 79, fax 57 25 32 83
Visites sur rendez-vous.
Château Canon (Libourne)
Vin racé à la saveur relevée par
des notes de bois jeune et de vanille.
Château Canon de Brem
(Libourne)
L'un des vignobles les plus aristocratiques
du canton.
Château la Dauphine
(Libourne)
Vin riche en arômes avec une nuance
boisée très marquée et une finale longue
et équilibrée.
Château Moulin Pey-Labrie
Tél. 57 51 14 37, fax 57 51 53 45
Un très grand vin avec, en bouche,
de la rondeur, de l'élégance,
de l'harmonie.
Château La Grave
Tél. 57 51 31 11
Vin équilibré, boisé, tannique, fruité
et racé, produit par un vigneron
aux méthodes résolument écologiques.

LA RIVIÈRE

Château de la Rivière
Tél. 57 24 98 48
Un vin remarquable, puissant et riche
en tanin, à l'attaque. Il atteint au minimum
le niveau des médocs crus bourgeois.
Château la Rouselle
Tél. 57 24 96 73, fax 57 24 91 05

SAILLANS

Château Moulin Haut-Laroque
Tél. 57 84 32 07, fax 57 84 31 84
Fronsac de très bonne tenue, d'une belle
variété aromatique.
Château Dalem
Tél. 57 84 34 18, fax 57 74 39 85
Un grand vin, d'une couleur soutenue,
riche en arômes de fruits rouges
et liquoreux.
Château Fontenil
(Libourne)
Tél. 57 51 10 94, fax 57 25 05 54
Élégant et raffiné, fruité en nez, plein,
complexe en bouche. Un vin de caractère.
Château Villars
Tél. 57 84 32 17, fax 57 84 31 25
Visites sur rendez-vous.

FRONSAC

À proximité de l'ancien village de Fronsac, à l'ouest de Libourne, s'élève un tertre pentu, fortifié à différentes périodes de l'histoire par les Romains et les Gaulois. Charlemagne y fit construire une forteresse qui remplit des fonctions militaires pendant des siècles avant de se transformer en « poste routier », les propriétaires faisant acquitter une taxe à tous les navires qui passaient sur la Dordogne. Le bâtiment est en ruine depuis le XVIIe siècle, mais ses vestiges offrent encore une vue superbe sur Fronsac, plusieurs châteaux, la vallée et l'Entre-Deux-Mers.

En entrant ou en sortant de Fronsac, vous passerez nécessairement devant la Maison du vin, qui pourra vous fournir tous les renseignements indispensables sur les vins locaux et les visites des châteaux. On y vend aussi du vin.

L'église Saint-Martin est romane et gothique, et le bourg compte également quelques belles maisons nobles des XVIe et XVIIe siècles.

Derrière Fronsac, s'étend un paysage pittoresque de vignes, de routes sinueuses, de collines, de châteaux et de vues toujours changeantes. La viticulture date ici de l'époque romaine, comme en témoignent les vestiges d'une villa mis au jour à

SAINT-MICHEL-DE-FRONSAC
Château Canon
Vin d'une indéniable élégance.
Château Cassagne Haut-Canon
Tél. 57 51 18 24
Le vin courant est agréablement fruité
en nez, rond en bouche avec
une légère note boisée. La cuvée
la Truffière montre plus d'expression.
Château Mazéris-Bellevue
Tél. 57 24 98 19, fax 57 24 90 32
Les amateurs comparent souvent ce vin
à un bon médoc.
Château Vray Canon Boyer
Vin sain, aromatique, considéré comme
l'un des meilleurs de Saint-Michel-
de-Fronsac.

Saint-Aignan. Ce hameau possède aussi une église romane.

Le château de la Rivière, à l'ouest de la commune de Fronsac, remonte au XVIᵉ siècle. Flanqué de deux tours carrées, il fut construit adossé à une pente boisée, pour mieux repousser les visiteurs indésirables. La vue depuis le château sur la campagne alentour est magnifique. Il émane des belles caves creusées dans le calcaire une atmosphère presque wagnérienne. La visite du château est payante mais le billet vous sera remboursé si vous achetez quelques bouteilles.

Rattaché à la commune de Fronsac, un petit secteur, appelé Canon-Fronsac, comptait autrefois 120 producteurs, mais n'en possède plus qu'une cinquantaine aujourd'hui. Les vins de Fronsac restèrent longtemps méconnus, mais depuis les années quatre-vingt, des viticulteurs ont investi dans la région, et la qualité du vin s'en est fortement ressenti. Les crus de Fronsac et de Canon-Fronsac réservent ainsi quelques bonnes surprises aux amateurs.

Au centre : Une rue tranquille du village de Puisseguin baignée de soleil.
Ci-dessus : Les vignes du château de la Rivière (XIIIᵉ siècle).
C'est l'une des propriétés les plus importantes de Fronsac, tant par ses dimensions que par sa production vinicole.

La rive est de la Gironde

L a Gironde sépare du Médoc les deux aires viticoles occupant sa rive-est : les côtes de Bourg et de Blaye au nord. Ces deux régions tiennent leur nom d'anciennes villes fortifiées. Blaye était la plus importante et, aujourd'hui, demeure plus animée que Bourg, qui donne l'impression de ne s'être jamais tout à fait réveillée. En revanche, ce sont les vins rouges des côtes de Bourg qui avaient tous les honneurs. Depuis, avec les progrès accomplis en matière de viticulture et de vinification, les deux communes proposent des vins de qualité sensiblement égale. Il existe aussi des côtes-de-bourg blancs, mais ils ne représentent que 5 % de la production. À Blaye, la proportion est moins tranchée, puisque les blancs, qui jouissent d'une excellente réputation, comptent pour 20 % dans la production globale. En règle générale, tous ces vins, sans être exceptionnels, sont agréables à boire, surtout jeunes. Attention, cependant, la région vous réserve quelques bonnes surprises, et vous ferez peut-être des découvertes inattendues.

Bourg se profile à seulement 15 kilomètres de Blaye, et il vaut mieux commencer l'exploration de la région par la première des deux communes, plus proche de Bordeaux.

Ci-contre : *La ville historique de Bourg, avec son château au premier plan. Les Romains furent les premiers à comprendre l'importance stratégique de Bourg sur la Gironde. À l'époque, c'était un fort et un port majeurs.*

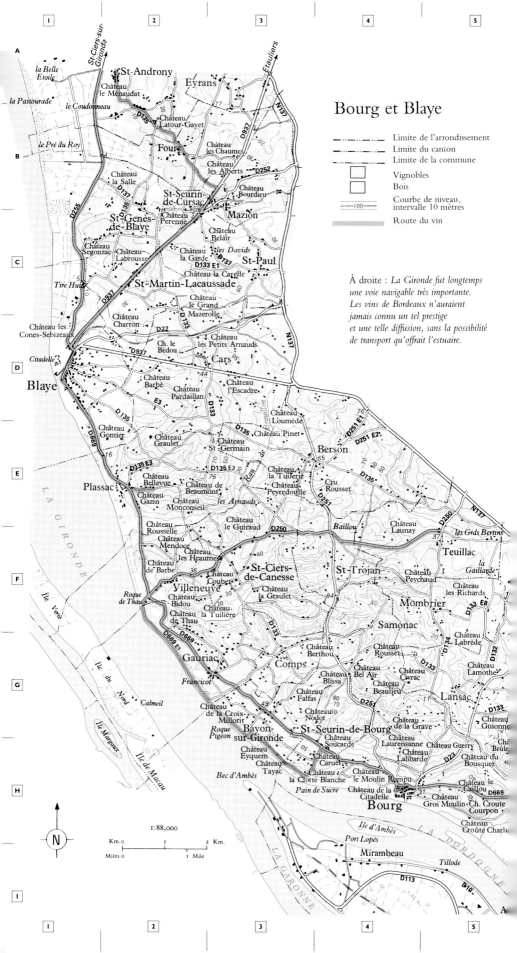

Bourg et Blaye

―――――――	Limite de l'arrondissement
――‧――‧――	Limite du canton
――··――··――	Limite de la commune
▢	Vignobles
▢	Bois
――100――	Courbe de niveau, intervalle 10 mètres
▤▤▤▤▤	Route du vin

À droite : *La Gironde fut longtemps
une voie navigable très importante.
Les vins de Bordeaux n'auraient
jamais connu un tel prestige
et une telle diffusion, sans la possibilité
de transport qu'offrait l'estuaire.*

la Belle Etoile
la Pastourade
St-Ciers-sur-Gironde
St-Androny
Eyrans
Château le Ménaudat
le Coudonneau
D158
Château Latour-Gayet
Ftauliers
N137
le Pré du Roy
Fours
Château les Chaumes
D937
D255
Château les Alberts
D252
Château la Salle
D137
Château Bourdieu
D138
St-Seurin-de-Cursac
St-Genès-de-Blaye
Château Perenne
Mazion
Château Segonzac
Château Labrousse
Château Belair
Château la Garde
les Davids
D133 E1
D137
St-Paul
Tire Hutte
Château la Carelle
St-Martin-Lacaussade
Château le Grand Mazerolle
D937
Château Charron
D22
D133
N137
Château les Cones-Sebizeaux
Ch. le Bédou
Château les Petits Arnauds
Citadelle
D937
Cars
Blaye
Château Barbé
Château l'Escadre
E3
Château Pardaillan
D133
D135
Château Graulet
Château St-Germain
Château Pinet
Château Loumède
D251 E1
76
D251 E2
Berson
65
D135
D135 E3
D135 E3
Château Bellevue
Château de Beaumont
Château la Tuilerie
Château Peyredoulle
Cru Rousset
Plassac
Château Gazin
Château Monconseil
les Arnauds
Château le Guiraud
Baillou
Château Launay
les Grds Bertins
D250
37
Château Rousselle
Château Mendoce
N137
D669
Château les Heaumes
60
Teuillac
Château de Barbe
36
la Gaillarde
Château Coubet
St-Ciers-de-Canesse
St-Trojan
Château Peychaud
Château les Richards
Villeneuve
Roque de Thau
Château Bidou
30
Château la Graulet
84
Mombrier
D33 E8
Château la Tuilière de Thau
40
Samonac
Château Labrède
D132
D669 E1
D669
D133
Château Berthou
Château Rousset
D134
Château Cwrac
Château Lamothe
Gauriac
Comps
Château Bel Air
Château Beaulieu
Lansac
Francicot
Calmeil
Château Blissa
D251
D133
Château Falfas
80
70
Château de la Grave
Château Guionne
Île du Nord
Château de la Croix-Millorit
Roque Pigeon
Bayon-sur-Gironde
Château Nodot
49
St-Seurin-de-Bourg
Château Soucarde
Château Laurensanne
Château Guerry
Château Brûle
Château Eyquem
Château Lalibarde
D23
Château du Bousquet
Île de Macau
Château Tayac
Château Caruel
la Clotte Blanche
05
Château le Moulin Rompu
Château le Caillou
D669
Bec d'Ambès
Pain de Sucre
Château de la Citadelle
Gros Moulin
Ch. Croute Corpon
Bourg
Château Croûte Charl
Île d'Ambès
LA DORDOGNE
N
1:88,000
Km. 0   1   2 Km.
Miles 0   1 Mile
Port Lopés
Mirambeau
LA GIRONDE
LA GARONNE
Île Verte
Île Margaux
Tillode
D113
B10

CÔTES DE BOURG

Le paysage vallonné des côtes de Bourg leur vaut le surnom de « Suisse de la Gironde ». La ville occupe la rive droite de la Dordogne, à proximité de sa confluence avec la Gironde. Ce charmant paysage de collines abrite quelques vignobles de qualité, essentiellement des vins rouges.

Pour vous rendre dans les côtes de Bourg depuis Bordeaux, empruntez la A10 jusqu'à la sortie de Saint-André-de-Cubzac, puis tournez dans la D669. Vous pouvez aussi prendre la D911 : ce trajet est moins rapide mais le paysage est vraiment inoubliable. Il serait dommage de ne pas admirer le pont qui enjambe le fleuve, un ouvrage réalisé par Gustave Eiffel. À gauche du pont, la zone industrielle du bec d'Ambès occupe une bande de terre formée par l'apport des alluvions de la Garonne et de la Dordogne.

Une fois parvenu dans les côtes de Bourg par la D669, en passant par Saint-André-de-Cubzac (où l'on produit d'excellents bordeaux et bordeaux supérieurs), quelques sites méritent le détour. À Prignac-et-Marcamps, vous pourrez visiter la grotte de Pair-non-Pair, découverte en 1881, ornée de quelque

60 peintures de l'âge de la pierre taillée représentant des animaux – chevaux, bisons, mamouths et bouquetins, la plus célèbre d'entre elles étant un cheval à tête retournée. La commune abrite aussi les carrières de Marcamps, où l'on extrayait des pierres de tailles, dites « pierres de bourg », dont une bonne partie était acheminée par bateau à partir du port de Bourg.

En quittant la D669 pour tourner à droite dans la D133, on arrive bientôt à Tauriac, village doté d'une très belle église romane récemment restaurée et qui possède une coopérative viticole très active.

Pour visiter Bourg, le mieux est encore de reprendre la D669. Bien que son nom officiel soit « Bourg-sur-Gironde », la ville ne se trouve plus sur la Gironde, mais sur la Dordogne, depuis l'allongement du bec d'Ambès qui sépare les deux voies fluviales.

Une partie de Bourg est perchée sur un escarpement crayeux, très pentu, dominant la rivière – une position défen-

CÔTES DE BOURG

HÔTEL

SAINT-CIERS-DE-CANESSE
La Closerie des Vignes
Tél. 57 64 81 90, fax 57 64 94 44
Établissement très calme, confortable, au service agréable. Cuisine régionale sans prétention. Chambres à partir de 350 F, repas à partir de 125 F. Piscine.

RESTAURANTS

AMBARÈS
Le Mas du Tillac
Tél. 56 38 07 68
Auberge nichée au milieu des vignobles. C'est l'une des meilleures adresses de la région. Plats délicieux et menus pour moins de 100 F.

BOURG
Brasserie Le Plaisance
Tél. 57 68 45 34
Terrasse à l'ombre pour déjeuner près du port (et de la coopérative). D'un excellent rapport qualité/prix.
Le Troque Sel
Tél. 57 68 30 67
Restaurant modeste à proximité de la Maison du vin. Menus à partir de 90 F environ.

SAINT-GERVAIS
Au Sarment
Tél. 57 68 30 67
Restaurant convivial, rustique, avec une terrasse ombragée. Plats classiques teintés de cuisine nouvelle, comme la *poêlée d'huîtres au jus de truffes*. Pas vraiment bon marché, mais excellent. Menus à partir de 120 F environ.

En haut : *Les fruits de mer sont abondants dans cette partie du Bordelais, en raison de sa situation sur la Gironde.*
Ci-dessous : *L'un des cafés-restaurants des côtes de Bourg et de Blaye.*

À gauche : *Les remparts imposants de Bourg témoignent encore aujourd'hui des affrontements qui opposèrent Français et Anglais pendant des siècles.*

LE RIGALET
La Filadière
Tél. 57 64 94 05
Ce petit bourg en bordure de la rivière compte plusieurs restaurants. C'est celui qui offre la plus belle vue sur l'eau et la plus vaste terrasse. Premiers menus à moins de 100 F. Déjeuner dominical à 130 F environ. Les fruits de mer sont l'une de leurs spécialités.

VITICULTEURS RECOMMANDÉS

Château Civrac (Bayon)
Vin d'une belle couleur, harmonieux, très prometteur en bouche.
Château Falfas (Bayon)
Tél. 57 64 80 41, fax 57 64 93 24
Ouvert tous les jours, sauf le dimanche.
Château Caruel (Bourg)
Tél. 57 68 43 07
Vin charnu, d'un bel équilibre avec quelques notes fruitées.
Château Dumézil (Bourg)
Vin ferme, ample, aromatique, légèrement fruité.
Château de la Grave (Bourg)
Tél. 57 68 41 49, fax 57 68 49 26
Ouvert tous les jours.
Château Roc de Cambès (Bourg)
Vin de grande qualité.
Château Bujan (Gauriac)
Tél. 57 64 86 56
Les amateurs ont montré un regain d'intérêt pour ce vin depuis la rénovation et la réorganisation du château, entreprises en 1987. Vin riche, aromatique à l'attaque, d'une ampleur extraordinaire en bouche.

Château Cantenac Sudre
(Lansac)
Vin compact, presque noir, très riche
en tanin mais non dénué d'élégance.
Autre exemple de la qualité que peuvent
atteindre les côtes-de-bourg.
Château La Croix Davids
(Bourg)
Tél. 57 68 40 05
Ouvert tous les jours.
Château Haut-gravier
(Pugnac) *Tél. 57 68 81 01*
Vin produit par la coopérative de Pugnac.
Château le Peuy-Saincrit
(Saint-André-de-Cubzac)
Vin d'une couleur soutenue, moelleux,
très fruité en bouquet et en bouche.
**Château de Terrefort-
Guancard**
(Cubzac-les-Ponts) *Tél. 57 43 00 53*
Vin rouge racé, bien équilibré, subtile-
ment boisé en bouche.
Château Haut-Guiraud
(Saint-Ciers-de-Caresse)
Tél. 57 64 91 39
Visites sur rendez-vous.
Château Macay
(Samonac)
Tél. 57 68 41 50, fax 57 68 35 23
Vin d'un rouge profond, d'un fruité
moelleux dû à la finesse de bouquet
et la vivacité en bouche. Délicieux,
en particulier très jeune. L'un des
grands vins du canton.
Château Rousset
(Samonac)
Tél. 57 68 46 34, fax 57 68 36 18
Le nouveau bois donne à cette grande
réserve longueur et équilibre en bouche.

En haut : *Le petit village
de Marmisson, près de Blaye,
doté d'un site préhistorique.*
Ci-dessus : *Les sites touristiques
sont tous signalisés par des
pancartes du même genre.*
À droite : *Un artiste-peintre
sur les bords de l'estuaire de la Gironde.*

sive idéale pour repousser l'ennemi et un
emplacement habituel pour les fortifications
romaines qui s'étendaient à toute la ville.
L'activité portuaire de Bourg était autrefois
plus importante que celle de Bordeaux.
Mais rares sont les vestiges qui témoignent
encore aujourd'hui de ce passé glorieux.
On distingue une ville haute et une ville
basse. La Maison du vin est installée dans la
première, et des deux petites places adjacentes on peut bénéficier, depuis la terrasse,
de vues sur la Dordogne et le bec d'Ambès.
La ville basse offre aussi quelques belles promenades à pied.
Autrefois lieu de résidence des archevêques de Bordeaux, le
château de la Citadelle a été aujourd'hui transformé en musée.
En contrebas, vous pourrez emprunter un véritable dédale de
ruelles. Vous pourrez également y admirer quelques beaux
immeubles et profiter d'une excellente boutique de vins.
C'est dans le hameau du Pain-de-Sucre, non loin de Bourg,
à l'ouest, qu'est fabriqué le crémant de Bordeaux. En direction
de Blaye, le trajet est très agréable, sur les berges du fleuve (on
croise à nouveau la D669 avant d'arriver à Blaye). Vous pouvez

alors rester sur cette route ou explorer la contrée viticole des côtes de Bourg. Le paysage est souvent magnifique, pittoresque, avec ses vallées plantées de vignes, entre les collines. À Teuillac, au nord de la commune, on peut voir des tombeaux remontants au IXe siècle.

CÔTES DE BLAYE

Entre Bourg et Blaye, à quelque 3 kilomètres au sud de Blaye, vous attend Plassac et sa villa gallo-romaine. Partiellement mise à jour entre 1963 et 1978, elle fut construite vers 50 après J.-C., mais elle a subi plusieurs remaniements. Il semble notamment qu'elle ait appartenu au VIIe siècle à l'évêque du Mans, Bertrand. Sur le site, on peut visiter le musée gallo-romain (ouvert seulement de juin à la fin septembre). Toujours à Plassac, ne manquez pas la butte de Montuzet, au sommet de laquelle la vue est magnifique sur tout le paysage alentour. Dans le village même, vous pourrez emprunter la route qui monte au château Bellevue, et parcourir les derniers mètres à pied.

Une colline calcaire, quoique moins importante que celle de Bourg, domine Blaye. Les Romains y édifièrent une fortification (*Blavia*). Plus tard, on érigea sur ses fondations un château, qui fut détruit presque entièrement au Moyen Âge. Une vaste citadelle, construite sur l'ordre de Louis XIV pour assurer la défense de la Gironde, domine aujourd'hui l'estuaire. Cette forteresse, agrandie et achevée par Vauban, constituait une vaste chaîne défensive conjointement avec les forts de l'île de Paté, au milieu de la Gironde, et de Cussac, dans le Médoc. La citadelle ne servit qu'en une occasion, en 1814, lors d'un siège de huit

Château Brulesécaille
(Tauriac)
Tél. 57 68 40 31, fax 57 68 21 27
En bouche, il montre une belle ampleur, non dénuée de tanin, une bonne longueur. Un vin très agréable, un très bon côtes-de-bourg qui a remporté une médaille d'or.

Château Fongalan
(Tauriac)
Vin presque noir, d'une saveur marquée, qui doit être attendu de trois à cinq ans.

Château Guerry (Tauriac)
Tél. 57 68 20 78, fax 57 68 41 31
Vin équilibré, élégant, bien charpenté, net en bouche. Un vin très pur, parmi les meilleurs du canton.

Château Haut-Macô
(Tauriac)
Tél 57 68 81 26
Visites sur rendez-vous.

Château Perthus
(Tauriac)
Tél. 57 68 41 12, fax 57 68 36 31
Vin produit par la coopérative locale.
Équilibré, aromatique, note boisée.

Château Tour des Graves
(Tauriac)
Tél. 57 64 32 02, fax 57 68 21 37
L'un des rares bons vins blancs des côtes de Bourg.
Saveur charmeuse, exotique.

Château Mercier
(Trojan) *Tél. 57 64 92 34*
Visites sur rendez-vous.

Château de Mendoce
(Villeneuve)
Un bon côtes-de-bourg

BLAYE

HÔTELS

La Citadelle

Tél. 57 42 17 10, fax 57 42 10 34
Une bonne adresse, dans la forteresse
même, avec une vue panoramique sur
la Gironde. On y loue une vingtaine
de chambres confortables à partir
de 300 F. Cuisine régionale et nouvelle
se complètent bien. De nombreuses
spécialités de poisson, y compris
la *lamproie bordelaise*. Menus à
partir de 75 F.

L'Olifant

Tél. 57 42 22 96
Confortable hôtel-restaurant, près
de la D937 en direction de Bordeaux.
Cuisine sans prétention avec un menu
à moins de 100 F. Douze chambres
à moins de 300 F.

*Ci-dessus : La citadelle de Blaye,
en partie bien conservée, s'élève
au-dessus de la Gironde, au niveau
des ferries pour Lamarque.*
*Au centre et ci-dessous à droite :
Blaye abrite de nombreuses maisons
simples et ravissantes, et offre de
beaux points de vue sur la rivière.*

jours qui prit fin avec l'abdication de Napoléon. Par la suite,
l'administration des impôts y installa ses bureaux, car tous les
navires qui souhaitaient rejoindre Bordeaux devaient acquitter
un droit de passage à Blaye.

Si la citadelle est par endroits en mauvais état et nécessiterait
d'être restaurée, elle reste néanmoins très impressionnante. Elle
couvre une superficie de 18 hectares et ses murs entourent un
camping, un hôtel-restaurant, des jardins, un monastère avec
une chapelle, un hôpital. On raconte que le tombeau de
Roland, le neveu de Charlemagne, se trouverait sous cet
édifice et qu'il aurait été enterré là en 778, dans une
église qui se dressait à l'époque sur le site. La citadelle
abrite aussi un musée d'Art et d'Histoire du pays
blayais. De la tour de l'Aiguillette, vous pourrez profiter de belles vues sur la région.

La vieille ville est sillonnée de rues étroites, en
pente raide, et ponctuée de petites places, non loin du
port toujours très actif et d'une zone industrielle. L'une
de ces ruelles porte le nom du duc de Saint-Simon, qui
vécut dans l'une des nombreuses maisons du XVIIe siècle
de ce quartier. La ville est célèbre pour ses pralines
qui furent créées au XVIIe siècle par le maréchal de
Plessis-Praslin. L'économie locale est largement
dépendante de la présence de la centrale nucléaire
située à 20 kilomètres, au nord, à Braud-et-Saint-Louis

Château Peyredoulle
(Berson)
Tél. 57 64 23 67
Vin rouge délicieux bu jeune,
avec des saveurs de fruits rouges.
Il montre aussi une belle souplesse.
Le blanc est d'une grande pureté,
très agréable, d'une complexité
en bouche due au cépage sauvignon.

Château Crusquet Sabourin
(Cars)
Tél. 57 42 15 27
Un vin généreux, tannique, avec
une note boisée.

Château Gardut Haut-Cluzeau
(Cars)
Tél. 57 42 33 04
Vin rouge d'une grande souplesse
qui a remporté plusieurs médailles.
Vin blanc charmeur, excellent.

Château du Grand Barrail
(Cars)
Tél. 57 42 33 04
Vin rouge classique avec une agréable
nuance boisée, à la finale délicieuse.
Vin blanc plus simple (100 % sauvignon).

Château les Petits Arnauds
(Blaye)
Tél. 57 42 36 57
Vin rouge souple, ferme en bouche,
qui développe un certain goût
du terroir. Peut se boire rapidement.

Château Marinier
(Cézac)
Tél. 57 68 63 13
Vin de grande qualité.

Château Haut Bertinerie
(Cubnezais)
Tél. 57 68 70 74, fax 57 68 01 03
Le rouge (premières-côtes-de-blaye)
est sain, fruité, suffisamment tannique
avec une nuance boisée. Le vin blanc,
très sain lui aussi, développe une belle
complexité en bouche.

Château Haut-Grelot
(Saint-Ciers-sur-Gironde)
Tél. 57 32 65 98
Vin blanc riche, quelque peu gras,
mais souple et agréable.

Domaine des Rosiers
(Saint-Ciers-sur-Gironde)
Tél. 57 32 75 97
Les rouges comme les blancs sont
des vins agréables, avec une profondeur
plus marquée chez les vins blancs.

Château Charron
(Saint-Martin-la-Caussade)
Vin exemplaire, qu'il s'agisse du rouge
(premières-côtes-de-blaye) ou du blanc
(côtes-de-blaye). Le vin rouge montre
une agréable fraîcheur en bouche,
une souplesse avec une note fruitée.
Le blanc est délicatement fruité.

Château Les Jonqueyres
(Saint-Paul-de-Blaye)
Tél. 57 42 34 88
Une des meilleures propriétés
de la région.

(visites sur rendez-vous ; tél. 57 33 32 03).

À Saint-Seurin-de-Cursac, au nord de Blaye, un musée de la préhistoire privé ouvre ses portes en été, au château Rolland-Lagarde. On peut y voir des outils taillés, des poteries, mis au jour sur la propriété même du château. On peut aussi y déguster du vin. À Saint-Ciers-sur-Gironde, vous pourrez admirer une belle église romane. Depuis Saint-Ciers-sur-Gironde, vous pourrez accéder aux pittoresques petits ports de pêche de Callonges et Vitrezay, situés sur les rives de l'estuaire. Vous pourrez notament y déguster des crevettes cuites à l'anis. De retour à Blaye, une visite à la Maison du vin s'impose. Elle est située au centre de la ville, sur le cour Vauban. L'accueil y est amical, et vous pourrez acheter des vins de la région pour un prix raisonnable.

Blaye regroupe de nombreuses appellations. Les vins rouges, plutôt légers et frais, sont presque toujours vendus comme des premières-côtes-de-blaye ; les blancs, très rafraîchissants eux aussi, sont proposés sous l'appellation côtes-de-blaye ou parfois blayais.

Index des Cartes

INDEX DES CARTES

Index

Les noms des vignobles et des vins sont souvent les mêmes : les pages 107, 108, 113 désignent par exemple le château ausone, les pages 107, 108 font référence au vignoble, la page 113 au vin. Concernant les hôtels et les restaurants, les villes correspondantes sont entre parenthèses.

INDEX

INDEX

Crédits photographiques

Jason Lowe : 5, 16/17, 20 (bas), 23 (bas), 24 (bas), 32, 34 (bas), 38 (haut), 44, 52 (haut), 56, 63 (centre), 66, 66/67 (haut), 68 (en haut à gauche), 68/69 (haut), 69 (bas), 78 (haut), 80/81 (bas), 80 (gauche), 84 (bas), 86 (bas), 88/89, 95, 97 (haut), 102 (bas), 103 (bas), 105 (haut), 107, 108, 109, 112, 114, 117 (haut), 118 (haut), 122, 123, 124/125 (haut), 130/131, 132, 133, 134/135 (haut), 135 (bas). **Richard McConnell** : 27 (en haut à droite), 82, 117 (centre). **Mitchell Beazley/RichardMcConnell** : 30 (bas), 30/31 (bas), 33, 65 (haut), 67 (haut), 110/111. **Scope/Jean-Luc Barde** : 25, 38/39 (bas), 68 (bas), 71 (en haut à droite), 85, 94, 96/97 (bas), 96 (haut), 104 (haut), 113 (haut), 116/117 (bas), 118/119 (bas), 119 (haut), 120 (en haut à gauche). **Scope/Michel Guillard** : 2, 3, 7, 8/9, 10/11, 12, 13, 14, 15, 18/19, 20/21 (haut), 21 (en haut à droite), 22 (centre), 22 (bas), 23 (haut), 24 (haut), 26/27, 31 (bas), 34 (en haut à gauche), 34/35 (haut), 36, 39 (haut), 40 (bas), 40/41 (haut), 41 (bas), 42, 45, 46, 47, 48/49, 50, 51, 52 (bas), 53, 57, 58, 59, 60, 62, 63 (haut et bas), 64/65 (bas), 70/71, 74, 75, 76, 78 (haut), 79, 84 (haut), 86/87 (haut), 89 (droite), 90/91, 92, 93, 98/99, 102/103 (haut), 104/105, 113 (bas), 120 (bas), 120/121 (haut), 125 (haut), 126/127, 129, 134 (en haut à gauche). **Scope/Jean-Daniel Sudres** : 22 (haut).